JN121949

日本列島修復論

令和パトリズム宣言

吉田 良

Yoshida Ryo

まえがき

令和2年、秋。生まれて初めて縄をなうことを経験した。人口8万人ほどの宮城県の小さい市ではあるが、市議会議員を務めていると様々な立場の人と出会う機会に恵まれる。私に縄のない方を教えてくれた半澤さんとの出会いもその一つだ。農業を営む七十代の男性である。

半澤さんとの出会いは、私が日課のようにしている駅前での朝の街頭演説がきっかけだった。半澤さんは農業の傍ら、三日に一日の周期で駅前広場の清掃に従事している。しばしば姿を見かける私に対し興味を持ったのだろう。ある日、自身の田んぼで収穫された稲を材料とする自作の稲穂飾りを二種類、私に手渡してくれた。その際、この稲穂飾りを自宅の玄関に飾ると幸運が訪れること、同じ飾りを毎年多数作成し、近隣の神社で神楽が奉納される際に参拝客に配布していることなどを説明された。私がよく訪れる神社が話題に出たり、共通の知人がいることが分かったりしたため、すぐに打ち解け合うことができた。その後、駅前でお会いするたびに挨拶を交わすようになった。

ある日のこと、半澤さんは私に、自宅で稲を育てることを提案した。田んぼの土を入れて苗を植えた容器を用意してくれるという。日当たりのよい場所に置き、水だけは欠かさないようにし、時々適量の栄養分を与えさえすれば、葉は次第に伸び、やがて穂を実らせると教えてくれた。稲をただ育てるのではなく、刈った稲を材料に稲穂飾りを作ることも提案には含まれていた。ちょうど食料生産に関する問題について調べていた時期で、そのような経験は願ってもない幸運であった。こうして託されたのが、約半年後に私になわれることになる、まだ青い色をした一株の苗であった。

私は毎日のように米を食べているし、田植えや稲刈り、農薬が散布される様子を何度も目にしている。それは存在が当たり前となっている食料であり風景である。しかしその生育の過程は何一つ知らない。約半年の間にそのことを思い知らされた。か細く頼りない幼苗は、梅雨に入っても大きな変化は見せず、そのまま生育が止まって枯れてしまうのではないかと心配した時もあった。しかし本格的な夏が到来し気温が上昇すると、葉は大きく長く成長し、いつの間にか量も増えていたのである。

旧暦の七夕を過ぎた頃、小さい実が並ぶ細い穂が顔を出していることに気づいた。穂は葉を割るようにして現れることも新たな発見であった。残念ながら花が開いている姿は見逃してしまったが、その後も水やりを続けると、実は徐々に大きく丸みを帯びてきた。やがて穂は自身の重みによっておじぎをする。十分に実ったあかしだろうと思い半澤さんに報告すると、水やりを停止し、土が乾燥するまでそのまま置くようにと指示された。十日ほど経過し、土の水分がなくなったところで、できるだけ根元に近いところから刈り取った。乾燥させるため、刈穂は半澤さんの作業場で預かっていただいた。

いよいよ飾りを作るために呼ばれたのは、11月にしては異様な暑さの日であった。作るのは二種類あるうちの簡単な方で、穂の根元の部分をそろえてテープで固定し、一定の長さに切るだけである。ブルーシートに座り、半澤さんの説明に従って作業を進めると、自分が収穫した分の稲穂はすぐに使い切ってしまった。

次に何をするのかは特に決めていなかった。半澤さんは穂のついていないわらを取り出し、縄をなってみましょうと言うと、それを水道の水で湿らせ、木づちで叩いて柔らかくした。シートの上に座り、片方の足のかかとで一方の端を強く踏んで押さえつつ、両の手のひらの小指側で挟んで上下にひねりを入れる。ひねり終えたところで、両手でつかんで手のひらを合わせ直し、同じ向きにひねりを入れる動作を繰り返す。そうするうちに縄が現れ、すぐにある程度の長さになった。初めて見る実際の光景に、思わず感動の声が出た。

わらの束が一本の縄になり、半澤さんは手を止めた。そして私は、新たに柔らかくしたわらを渡された。全く同じ動作になるようまねたつもりだったが、手の動かし方が正しくなかったらしく、私のわらはまとまってはくれなかった。そこで手を動かす向きを逆にして力をこめると、今度はわらがまとまる手ごたえがあった。そのまま同じ動作を繰り返すと、私の手から縄が生まれた。四十四歳の私の胸に素朴な感動が広がった。

現代の日本人の大多数は、縄をなう技能を知らない。正月が近くなると、多くの日本人は正月飾りを購入し、玄関などに飾る。飾らないと居心地の悪さを覚えたりする。しかし商品としての正月飾りのほとんどは人の手で作られたものではなく、海外の工場で大量生産されたものである。外国の雑草を材料とするものまであるそうだが、稲わらとの見分け方さえ私たちは知らない。

知らないのは稲の育て方や縄のない方、正月飾りの作り方だけではない。稲を育てるには水と土が要る。その水はどこから来て、どこへ流れていくのか。土はいつ、どのように肥やせばよいのか。種もみをどうやって発芽させるのか。多くの日本人はこうした知識や技能をどこかへ置き忘れてしまった。それでも誰かが稲を育て、米を売る仕組みが整備されているから、今のところお金さえあれば食うに困ることはない。

個々の職業に個々人が専門的に従事する社会的分業が進んだことで、生産の拡大や所得の向上など社会経済の発展がもたらされた。しかし縄をなえるどころか、稲を育てられる農業者の減少が止まらないという、新たな問題が生じている。この問題の要因は一つではなく、相続や所得格差や都市計画など複合的な要因によるものだ。こうした問題が表面化してもなお政治家の動きは鈍く、行政も有効な策を施すに至っていない。

なぜ問題解決に向けた迅速な取組みが行われないのか。その理由を掘り下げていくと、事態が深刻化するまで関心が高まらない日本人の国民性へと行き着く。その根っこには、問題の当事者としての意識が日本人全体に欠けている実態が潜んでいる。農や食に限ったことではない。日本をとりまく種々の問題は、ほとんどが同じ構造によるものと言える。

本書には、社会問題の責任を国民に押しつける意図はない。そもそも社会問題に関する当事者意識を国民に手放させる統治の形は、百年、二百年の単位で出来上がったものではない。『論語』には

民は之(これ)に由(よ)らしむ可(べ)し。之を知らしむ可からず。

という有名な一節がある。「人民というものは、王者の定めた道に拠り則らしめることはできるが、数多い人民に、一人一人、その理由を説いて、意義を知らせることはなかなかむつかしい」

（『新釈漢文大系　論語』明治書院）という意味である。愚民政策を推奨するものではないとの解釈は定着しているが、社会問題や施策に対する大衆の理解を期待していないのは疑いない。また

　君子の徳は風なり。小人の徳は草なり。草之（これ）に風を尚（くわ）ふれば必ず偃（ふ）す。

とも書かれている。少し後の時代の『孟子』にも見られる一節である。「上に立つ人の徳は、たとえてみれば風のようなものであり、下に在る人民の徳性は、たとえてみれば草のようなものです。その草に風が加われば、草は必ず靡（なび）き伏すものであります」（同書）という意味で、統治者は大衆の模範になるべきであると説いている。大衆を草に例えて、同じ方向に伏せさせることを理想としており、やはり主体性を尊重する内容ではない。

　中国大陸から漢字文化が伝わって以来、日本における統治は基本的にこうした理念に基づいて進められてきた。漢文教育不要論が聞こえる現代でも、その原則は変わっていない。

　社会の構造が高度に発達し、人間の尊厳をどう守るかが課題となっている現在、権力と大衆との関係を構築し直さなければ、国民が持つ潜在的能力の発揮が阻害されることで国力の増進も妨げられ、将来的に後進国へと没落することになるだろう。

　大衆を拠らせ伏させることで天下を治めるという東洋の伝統的な統治理念を越え、知ることや

実践することで社会へ参画する、新しい国づくりを始めなければならない。

タイトルの『日本列島修復論』はお祭しのとおり、田中角榮の『日本列島改造論』を意識したものである。ただし改造を修復とした意図は、アンチテーゼを示すことではない。むしろ私は、改造論の基本理念を評価している。異なるのは、改造論が政府から国民へ「してあげる」内容の列挙であったのに対し、修復論は国民による実践、つまり「すること」を不可欠な要素と捉える点だ。

また「パトリズム」は造語である。パトリズムの語源patriaは、ラテン語で「祖国、故郷」を意味する。新しい言葉に込められた思いと、既成語のパトリオティズムを用いなかった理由は、第一章で説明する。

高度経済成長の終わりから一層複雑化した日本社会に様々な角度からてこを入れ、角榮の理想、すなわち「大都市や産業が主人公の社会ではなく、人間と太陽と緑が主人公となる〝人間復権〟の新しい時代」を切り開こうではないか。

目次

日本列島修復論

第3章 鑑賞から継承へ 文化を引き継ぐ

第4章 承認から参加へ 自治を高める

第5章　享受から利他へ　幸せを分け合う

第6章　量から質へ　日本のこれから

第1章

日本の現状

成長から老境へ

大都市では過密、公害、物価上昇などが人びとの暮しを脅かす一方、地方では過疎による荒廃がすすんだ。都市と農村、表日本と裏日本の発展のアンバランスは、いまや頂点に達しつつある。

田中角榮『日本列島改造論』

◆第1節　厳しい現実に向き合う

増田寛也の編著による『地方消滅』は、日本社会に大きな衝撃を与えた。２０４０年に若年女性（20～39歳）人口の減少率が五割を超える「消滅可能性都市」は８９６の自治体に上り、うち５２３自治体は人口一万人を切る「消滅可能性が高い」地域になるという予想である。

単に人口が減少するだけではなく、人口構造も少子高齢化が深刻さの度合いを増す。２０２０年の人口（確定値）と、国立社会保障・人口問題研究所による「日本の将来推計人口（平成29年推計）」を比較すると、総人口が11・８％、年少人口が20・８％、生産年齢人口が19・９％、それぞれ減少するのに対し、老年人口は８・５％増加すると見込まれる。

なお『地方消滅』が参考とした平成24年版の将来推計が合計特殊出生率を１・35と設定したのに対し、29年版は１・44とより高く設定している。もし新型コロナウイルス感染症の影響が長引くことになれば、出生率の回復を遅らせることになり、２０４０年の人口は予測数に達しないこともあり得る。

人口減少と少子高齢化は、私たちの生活にどのような影響をもたらすのか。経済活動面では、技術者が不足することによって国際的な物づくり競争から脱落するし、親の介護のために離職する人が大量に発生する。百貨店や地方銀行は利用者の減少によって消滅し、企業活動には後継者不足による存続の危機が生じる。社会基盤面では、小中学校の統廃合が進み、私立ばかりか国立大学でさえ倒産の危機に立たされることになる。公共交通はよくて縮小、悪ければ廃止となり、水道など公共サービスは値上げされることになる。生活面では、独居世帯や空き家が増加し、施設に入らない認知症患者が地域で様々なトラブルを起こすことが考えられる。さらに食料品や燃料など生活必需品の調達が困難となり、輸血用血液の不足や災害対策の遅れといった命に直結する問題が起こることも予想される。

高齢者の消費行動は非常に重要である。２０００年以降、年齢階層別に見た消費支出シェアは、60歳以上の高齢者世帯の割合が上昇しているのに対し、それ以下の年齢層世帯の割合は下降を続けている。60歳以上の一世帯当たりの消費支出は、無職世帯よりも勤労世帯の方が月額で約10万円大きい（総務省「家計調査」２０１９）。高齢化が直ちに消費支出の縮小をもたらすわけではないが、高齢者の消費意欲が物価への影響を高め、体力が尽きるまで働き続けることを求める風潮が強まるだろう。

人口、特に生産年齢人口が減れば、必然的にＧＤＰ（国内総生産）も縮小することになる。２

019年の日本の名目GDPは5兆1487億ドル、一人当たりの名目GDPは4万7791ドルであった（内閣府「国民経済計算年次推計」2019）。

仮に2040年の総人口を1億1092万人とすると、国内総生産の規模を保つためには、一人当たりGDPは4万6419ドルが必要となる。これは現在のドイツやカナダの一人当たりGDPに近い数値であり、絶対に達成不可能とは言い切れないものの、実現するためには企業も労働者も社会も異次元の変革が必要となるだろう。逆に一人当たりGDPが同規模で推移すれば、2040年のGDPは4兆5245億ドル余りとなる。世界第三位の経済大国としての地位は危うい。

ある程度の豊かさが国民に行き渡れば、成長率が横ばいか減少に転じるのはやむを得ない。問題は、国民全体の所得や貯蓄が拡大する中で、確実に格差が拡大していることである。

トマ・ピケティは『21世紀の資本』で、資本が生み出す収益率は労働者の報酬の伸び率より大きいため、資本を持っている者は一層資本を集積し、持つ者と持たざる者の格差が世界的に拡大していくことを指摘している。アングロサクソンの国々ほどではないが、日本も例外ではない。所得分配の不平等度を表す指標「ジニ係数」を見ると、全体としては1980年代以降に上昇（格差拡大）し、2000年代に横ばいで推移する傾向が見られる。しかも世帯主の年齢階層別では、高齢者層のジニ係数が低下する一方、若年・中年層のジニ係数が上昇している事実は見逃せない

（独立行政法人経済産業研究所「日本の所得格差の動向と政策対応のあり方について」）。

グローバル経済路線や新自由主義路線が進めば、資本収益率が成長率を上回る傾向が一層強まり、格差のさらなる拡大を招くと考えられる。

最も深刻なのは国債の発行額、つまり国の借金だろう。赤字国債（歳入の不足を補うためのもの）が初めて発行されたのは昭和40年、借換債（償還額の一部を借り換える資金を調達するためのもの）が初めて発行されたのは昭和48年である。その後、国債の発行額は増加の一途をたどり、令和2年度の普通国債残高は985兆円、債務残高の対GDP比は237・6％に達した（財務省「財政に関する資料」）。アベノミクスから始まった異次元金融緩和がどのような終局を迎えるかは想像もつかないが、人類が経験したことのない金融政策の実験台に日本が置かれているのは確かである。


改造論が発表された当時と現在とでは、国際情勢にも大きな変化が生じている。特に中国の飛躍的な経済発展と軍事力拡大である。

中国は分裂するだろうという一部の政治家や評論家の予想は、見事に外れた。むしろ流血を伴う強引な手法で香港の自治を奪い、チベットやウイグルで凄惨な民族同化政策を強行し、最先端の情報通信技術を用いて国民の行動を監視する形で、国家統制の一層の強化に成功していると言える。

最近では、中国とアメリカとの間における武力衝突を予想する声が聞こえる。その多くは、台湾や尖閣諸島が舞台となり、日本も巻き込まれるだろうという内容だ。もちろん最悪の事態を想定して備えることは必要だが、基本となるのは外交による解決だ。むしろ軍事力以上に恐れるべきは、中国のしたたかさではないか。血を流さずに果実を奪えるなら、あえて軍を使うことはない。

◆第2節　資本による「侵略」の危機

中国は経済成長の勢いに乗って、着々と軍備の増強を進めている。いずれは軍事力でアメリカを追い越すだろうとも言われている。だがそのような中国にも、高齢化の波は少しずつ迫っている。中国がアフリカを中心に発展途上国を積極支援している理由は、飛躍的な経済成長に限界が見えていることを察知し、これから成長する国々への投資に移ったからと考えられる。利息や配当を受けるのはもちろん、安い人材の確保や、天然資源の有利な調達も、依存度を上げる関係づくりの延長線上に狙っているためだろう。

日本のバブル景気時代、東京23区の土地を売ればアメリカが二つ買えるとまで言われた。しかしバブル崩壊後、世界に名をとどろかせた多くの日本企業は次々と外資に買収された。中国企業による対日M&Aは、２０１０年頃から本格的に始まった。純粋な日本企業が一つまた一つと消えていく趨勢は寂しい限りだが、中国だけを見ていては全体を見誤ることも理解しなければならない。

グローバル化の進展により、人が当たり前に生きていくための基盤までお金で買える道が開いてしまった。

人間が生きるために絶対に欠かせないものの一つが食料だ。令和元年度の食料自給率は概算で、カロリーベースが38％、生産額ベースが66％である（農林水産省「総合食料自給率（カロリー・生産額）、品目別自給率等」）。

政府は食料・農業・農村基本法に基づき、令和12年度までに食料自給率をカロリーベースで45％、生産額ベースで75％へ高める目標を設定している。この目標は平成7年頃に近い数値であり、改造論が発表された昭和40年代はより高い値であった。

農林水産省は日本の食料自給率が低下した理由について、食生活の急速な洋風化、飼料作物や油の原料など輸入品の増加があると説明している。物品を大量に生産し国外に売るのは、グローバル経済の手法としては最も初歩的なものだ。戦後、国際社会に仲間入りした日本は、農産品の関税を引き下げるなど海外の食料が大量に国内に入ることに妥協し、自動車や電気機器など工業製品の輸出を促進した。食料品が安く手に入るのは、消費者にとってメリットでもある。また果物など一部の品目は、海外で人気を博し販路を拡大させている。国内生産量を最低でも現状維持させる対策が不可欠である。

貿易自由化による安い農産物の流入と、過疎化や高齢化による農業の担い手不足のほかにも、より深刻な問題が浮上している。それは「タネの支配」という新たな脅威だ。グローバル企業は軍事、医療の次に農業の分野で世界的なシェアを握ることを狙っている。これらはいずれも人の命に直接関わる産業で、昨今では「タネを制する者は世界を制する」とまで言われている。

日本では平成30年から令和2年にかけて、主要農作物種子法の廃止、農業競争力強化支援法の施行、種苗法の改正と、グローバル企業にとって有利な方向へ法整備が進められた。具体的には、主要作物（稲・麦・大豆）の種子の開発への国の予算措置が終わり、種子開発ノウハウの民間事業者への提供が促進され、登録品種の自家採種が禁止された。個人経営の農家にとって経営が厳しさを増すだけでなく、国産農産物の価格上昇も予想される。

安全性の面でも危惧すべき規制緩和が進められている。ラウンドアップという除草剤がある。開発したモンサント社は、ベトナム戦争で使用された枯葉剤の供給元として知られる。ラウンドアップの主成分、グリホサートは発がん性が疑われており、使用を禁止したり、将来的な禁止を決定した国も多い。世界的に規制が強化される中、日本は平成29年にその残留基準を引き上げた。ラウンドアップだけに耐性を持つ遺伝子組換え作物の栽培は、除草のための作業が効率化されるため、生産性が飛躍的に向上する。また収穫直前に除草剤を直接散布する「プレハーベスト」で処理された小麦も輸入されている。学校給食のパンからもグリホサートが検出されている。

グローバル企業に門戸を開く一次産業は農業だけではない。平成31年、森林経営管理法の施行により、経営管理が行われていない森林について、所有者が市町村に経営管理を委託し、経営に適した森林は民間企業に経営管理を再委託できる制度が創設された。また同年、国有林野の管理経営に関する法律が改正され、改正前より広い区域で最長五十年間、民間企業に樹木を採取する権利を付与できることとなった。小規模・零細林業者の淘汰や、皆伐による土砂災害の発生などが懸念される。

水産業も安泰ではない。令和2年、漁業法が改正され、漁業権のルールが変わった。それまでは地域社会などに配慮した優先順位が設定されていたが、改正により優先順位が撤廃されたのである。そして新たに、漁場を適切かつ有効に活用している者と、漁業所得の向上や就業機会の確保など水産業の発展に最も寄与すると認められた者へ、漁業権を付与できることになった。漁業権の民間開放は、宮城県が水産業復興特区を利用していち早く実施したが、技術の継承などの課題解決には程遠い。

宮城県といえば、令和4年度から水道事業にコンセッション方式を導入することが決まっている。コンセッション方式とは、施設の所有権を自治体に置いたまま、施設の運営権等を民間事業者に付与する事業方式のことで、空港や有料道路などの一部で既に実施済みだ。

過去にも電話や鉄道、郵政などの公共サービスが民営化されてきたが、サービス向上や料金引下げによる利用者への還元という大義名分があった。それに対し宮城県は「経営環境が厳しい」「公営を続ければ使用料引上げはやむを得ない」と住民の危機感をあおり、二十年間に及ぶ長期の委託契約を結ぶことに邁進した。

確かに水質や料金で使用者に不利益が出ないよう配慮されてはいるが、災害で施設が被災した際の復旧工事や安定的な水の供給は県の責任であるため、企業は安心して利潤追求に集中できる仕組みとなっている。

◆第3節　大衆の不満の高まりとナショナリズム

　グローバル企業が参入しやすい環境が整備されてきたのには、バブル崩壊以後に国家財政の悪化が顕著になり、財源不足を補うために経済成長が目的化した背景があると思われる。経済成長、つまりＧＤＰの拡大のためには、国民一人一人が生み出す付加価値を増やさなければならない。一人当たりＧＤＰを上げるためには、一般的に生産性の向上が必要だと言われる。そこで小規模・零細事業者が細々と仕事するより、大規模企業に集約された方が効率よく付加価値を生み出せると考えられるようになった。

　２０００年代初期、大規模商業施設の店舗面積を制限してきた大規模小売店舗法が廃止され、それに伴って郊外型大型店舗の出店を可能にする大規模小売店舗立地法が施行されたこと、派遣対象業務の拡大や派遣受入れ期間の延長などを認める形で労働者派遣法が改正されたことにより、大資本にはさらに利益が集まる一方で、小規模・零細事業者の淘汰や非正規労働者の増加というしわ寄せが生じた。

　バブル崩壊後、失われた十年が二十年になり、さらに三十年になろうとしている。１９９１年と２０１８年の世帯所得の分布を比較すると、年間所得が４００万円未満の世帯の割合が35・８％から45・４％に増加しているのに対し、４００万円以上の世帯は64・０％から54・５％へと減少している。

特に増加幅が高いのは100万円以上200万円未満の世帯でプラス3・5ポイント、次いで200万円以上300万円未満の世帯でプラス3・1ポイント、逆に減少幅が高いのは500万円以上600万円未満の世帯でマイナス1・6ポイント、700万円以上800万円未満の世帯でマイナス1・4ポイントとなっている（厚生労働省「国民生活基礎調査」）。

効率性と自己責任が求められる競争社会の色合いが強まり、**国全体が歯を食いしばって経済成長を目指してきたにもかかわらず、豊かさよりも貧しさの実感を強くする人の方が多い**のが現状だ。

改革を進める過程で、何かしらの属性の人たちに批判が浴びせられてきたことも振り返っておく必要がある。

構造改革においては、公務員や農協や外郭団体などが甘い汁を吸う既得権者と非難された。消費税の増税など負担感が増した際には、生活保護受給者や在日外国人、寝たきりの高齢者や重度障害者に対し、まるで不正受給が蔓延しているような疑念や、医療・介護に費用をかけることへの疑問の声が聞こえてきた。経済の停滞から抜け出せない状態が続くと、特定の国や属性の人たちを標的としてばかにしたり、敵対心や差別心をあおったりするヘイトスピーチが、インターネット空間に満ちあふれるようになった。

一部の国会議員は、特定の属性の人たちを批判する言説をインターネット等で積極的に発信している。標的とされるのは主に朝日新聞やＮＨＫをはじめとするメディアや、中国・韓国・北朝鮮といった一部の近隣国である。時折、環境保護団体などの市民団体や作家などの文化人に、その矛先が向けられることもある。

国民の代表という立場の国会議員が政治的志向の違いによる批判や討論を行う場合、定められた手続に基づいて議事堂内で行うのが原則である。議事堂の外、特に反論の機会が限定される場においては、自らの政策を表明し支持を訴えるにとどめ、特定の属性を攻撃的に批判することは慎むのが良識ある態度であったはずだ。

ところが自民党が政権を取り戻した第二次安倍内閣発足以降、憎悪と分断を招きかねない発信を控えるという国会議員の良識が崩れた。当人にとっては正論のつもりであったり、過激さはあっても不適切とまでは言えない内容だったとしても、そうした言葉が匿名の支持者らに利用されて攻撃的で侮辱的な内容に変化し、急速に拡大して一つの世論を形成するという現象が起きている。

為政者が自らの失敗を矮小化したり、特段の好材料がない中で政権浮揚を狙ったりする場合や、気に入らない為政者の追い落としを図る際、敵対勢力が外国と通じているかのように思わせる手法は、いつの時代にも取られてきた。最近の日本では、安倍総理大臣の数々の不祥事を追及する野党勢力への反発や、菅総理大臣による日本学術会議会員の任命拒否で、支持者を巻き込みながらこの手法が用いられた。ナショナリズムと呼ぶには幼稚で浅薄過ぎるが、日本社会において一つの流行となっていることは確かである。

こうした風潮が、政治家があおって大衆が乗ったものなのか、大衆があおって政治家が乗ったものなのか、どちらであるかを究明することにあまり意味はない。むしろ政治の行き詰まりと大衆の不満の高まりが臨界点に達し、両者の利害が一致して生じたと解釈できるだろう。

しかし冷静に現状を分析すれば、政治家や官僚を規制緩和に走らせ、資源の囲い込みをもくろみ、国民の暮らしから豊かさと幸せを吸い上げる存在は、監視下に置かれることもなく、今も富の集積に励んでいる。自治体の財政力をはるかに上回る強大な資産に支えられて。

◆第4節　パトリズムが守ろうとするもの

ナショナリズムは一般的に愛国心と訳されるが、愛国心の英訳としてパトリオティズムという言葉もある。パトリオティズムは多くの場合、愛郷心や郷土愛と訳される。両者の発生について、橋川文三は著書『ナショナリズム』で、

ナショナルな感情は「世論の力や、教育や、文学作品や新聞雑誌や、唱歌や、史跡や」を

通して教えこまれるのに対し、郷土愛は人間の成長そのものとともに自然に形成されるより、根源的な感情なのである。

と、その違いを区別した。

また藤原正彦は著書『祖国とは国語』で、

ナショナリズムとは通常、他国を押しのけてでも自国の国益を追求する姿勢である。私はこれを国益主義と表現する。

パトリオティズムの方は、祖国の文化、伝統、歴史、自然などに誇りをもち、またそれらをこよなく愛する精神である。私はこれを祖国愛と表現する。家族愛、郷土愛の延長にあるものである。

と解釈し、明治時代から両者を愛国心として一つにくくったことによる破滅への狂奔と、戦後は祖国愛までもが軍国主義と区別されずに捨てられたことを嘆く。大衆がナショナリズムを振りかざすことに反対し、パトリオティズムが見直されるべきであると考えるのは、私も同じだ。

日本では愛国心の是非をめぐって、保守勢力と革新勢力が対立してきた経緯がある。しかしナショナリズムとパトリオティズムが区別された上での議論とは言い難い。保守勢力の志向にも革新勢力の志向にも、多くの国民が抵抗なく受け入れられるパトリオティズム的な部分は含まれている。

保守的志向の評価すべき部分として、人間理性への懐疑という保守主義の根本思想や、共同体や伝統を重視する姿勢が挙げられるだろう。逆に個人を軽視する傾向や、多様性への寛容さに欠ける点は、ナショナリズムにいざなう部分として注意を要する。革新的志向の評価すべき部分は、地球環境を重視し個人を尊重する姿勢や、国際協調への努力が挙げられよう。他方、人間理性を過信する傾向や外交における弱腰姿勢は、社会に無秩序や混乱を招くことになりかねない。

以上をまとめ「人間理性に懐疑的で、共同体や伝統を重視し、地球環境や人間を尊重し、地域間の協調に努める精神」こそが、パトリオティズムと称するにふさわしい、あるべき祖国愛の基本姿勢として導き出されるのである。

しかしパトリオティズムが日本社会に浸透したとしても、成長から老境へ容赦のない時の流れと、グローバル企業の資本力による富の収奪には、到底太刀打ちできない。ミヘルスが表現した「鐘楼のパトリオティスムス」のような、受け身に近い郷愁の感情だけでは、現実の酷薄な変化をただ眺めて終わることになるだろう。

危機に打ち勝つために不可欠な要素は「実践」である。まえがきで指摘したように、改造論から抜け落ちていた概念だ。

実践の場となるのは、生活感から遠い国家ではなく、日々の生活が営まれている郷土だ。近所の公園の清掃活動に参加したこともない人が、インターネット上で「尖閣を守れ」「竹島を奪還しろ」と息巻いたところで、しょせんナショナリズムで自らを慰めているに過ぎない。まずは近所を歩こう。地域を知ろう。隣人と話そう。そして身近な公共財の管理に関わろう。**郷土を守る当事者でなければ、国を守る当事者にはなり得ない**。それが実践的郷土愛の考え方だ。

公共財とは私的財の対義語で、非競合的かつ非排除的な「純粋公共財」に、非競合的かつ排除的な「クラブ財」と、競合的かつ非排除的な「コモンプール財」を加えたものと定義される。公有財産や公的サービスはもちろん、天然資源や社会資源、技能や芸能、社会制度や公益性を持つ民間サービスも含まれる。

国民全体が豊かさを実感できる社会へと日本列島を修復するために、令和の日本における公共財の現状と課題、その持続可能な管理の実践方法について、次章から検討を進めていく。

地域に関わる実践者の輪を広げ、社会運動として全国的に展開していくためには、印象に残る簡潔なスローガンが必要だ。実践的郷土愛ではインパクトが弱く、イメージも硬い。そこでこれを**パトリズム**と呼ぶことにする。パトリオティズムとしない理由は、ナショナリズムとの区別が日本では定着していないことと、発音しにくいことの二つである。

本章のまとめとして、パトリズムの定義を**郷土における公共財を隣人と共同で適切に管理する実践的姿勢**と示しておく。パトリズムの理念が数多くの人に支持され、和製英語として海外にまで広がることをこいねがう。

第2章

浪費から管理へ
資源を守る

明治から百年間、激しい都市集中の流れのなかで、農村はつねに人びとの心のふるさとであり、魂の安息所であった。明治二百年の展望に立つとき、私たちは日本民族のつきない活力の源泉として、このような農村を守りつづけていかなければならない。

田中角榮『日本列島改造論』

◆第1節　資源とは何か

まずは資源について考える。資源とは一般的に「人間が社会生活を維持向上させる源泉として、働きかける対象となりうる事物」と定義される（科学技術庁資源調査会『将来の資源問題（上）』）。資源と聞いて最初に思い当たるのは、石油や鉱物などの埋蔵資源だろう。より身近な地上の世界では、飲料水や動植物など人の食料となるものや、木や石など建築物に利用できるもの、さらにそれらを育む大地や海や川などの地形、また空気や太陽光や気候などを含めたものが資源と捉えられる。これらを総称したのが天然資源である。

枠組みを広げると、天然資源を加工して作り上げた人工物も社会生活における資源となる。道路、空港、港、橋、トンネル、堤防、防波堤、ダム、上下水道、公園、体育館や文化施設や公衆トイレなどの建物である。これら公共施設はインフラストラクチャー、略してインフラと呼ばれたり、日本語で社会基盤と呼ばれたりする。

インフラには、税金によって運用されるものだけではなく、民間組織が整備・運営し、対価を得て利用を認める交通や運送、ガス、電気、電話、放送、インターネットなども含まれる。さらに幼稚園、学校、大学、病院、福祉施設など、行政でも民間でも設置・運営が可能なものから、自衛隊、警察、消防など公設公営に限定されるものまで、住民へのサービスも広い意味で社会資源と捉えられる。

社会生活を円滑に進めるためには、人や物やお金の流れに制度を設ける必要が生じる。制度を適切に定め運用するためには、知識や技術、技能、そして全てを統治する政府の存在が不可欠である。存在が見えにくい非物質的な資源や統治機構も、かなり拡大して捉えれば資源に位置づけられる。

以上は前章で言及した公共財とほぼ重なるが、公共の利益となっている私的財も重要な資源だ。適切に管理されていることによって周辺に住みよい環境をもたらす農地や山林が、それに当たる。

以上の社会生活における事物は、人がいて初めて運用される。社会生活の維持向上のために活動している限りにおいて、人材もまた資源と言える。

本章では主に人の生存に関わる天然資源及び社会資源について検討する。なお第三章では人の営みに活力をもたらす文化的資源について、第四章では資源を適切に管理するための統治の在り方について、第五章では人的資源の活動に不可欠な幸福感について検討する。

◆第2節　資源をめぐる現状

私たちの周辺には、管理が適切に行われていない各種の資源がある。資源が持つ本来の機能を失っていたり、機能の維持が困難になっていたりする。適切ではない管理とは、放置されていたり、回復が不可能なレベルまで汚損が進んでいたり、資源が本来有する公共的利益を私権が侵している状態のことである。

実践的郷土愛は実生活に近い問題から確実な解決を目指す立場である。石油など埋蔵資源の管理をないがしろにするつもりはないが、初めから政府にどうこうせよと大上段から意見するのではなく、一人一人の意識や行動の変化が共同体の意思となり、政府を問題の解決に導く手順を大事にしたい。

まずは天然資源から考える。天然資源は無尽蔵ではなく、自然の浄化力は無限大ではない。このことを共通に理解しなければ、社会生活の持続可能性を損なう事態さえ招くことになる。

埋蔵資源はいずれ枯渇すると考えられる。また日本はエネルギー調達の大部分を海外からの輸入に依存している。一方で再生利用の制度が理想的な形で働いているとは言えず、エネルギー自給率を向上させる取組みも遅れている。

また埋蔵資源をエネルギーに変換する際に排出される温室効果ガスは、地球の平均気温の上昇を招いている。平均気温がある限界値を超えると、それより前の状態に戻ることができない破局的な環境変化を招くとされる。そのことによって、食料生産が可能な土地が減少したり、新型感染症が各地で発生するなど、人類の存続に危機を招くおそれもある。

人の食料となるものを含む動植物といった資源は、本来は半永久的に種を保つ回復力を持っている。自然界の食物連鎖に組み込まれるこれらの資源は、本書において「循環資源」と呼ぶことにする。

循環資源にとって、巨大隕石の落下や破局的噴火などの大災害、感染症の蔓延などが脅威ではあるが、より重大な脅威となっているのが人類による乱獲と、それに伴う生態系の破壊である。さらに地球温暖化も、生態系の破壊に拍車をかけている。

このままでは自然回復力を超えるダメージによって多くの種が絶滅し、生態系のバランスは崩壊し、いずれは人類自身の食料調達を困難にする結果を招く。

自然界にとってもう一つの脅威となっているのが環境汚染だ。工業生産の際に発生する排水による汚染や、焼却の際に発生する煤煙による汚染などは、規制の強化や技術の発展により改善してきてはいるが、適切に処理されず放置される廃棄物による汚染や、製品の包装などに使用されるプラスチックによる汚染は、より深刻化している。また農薬や洗剤など化学物質による汚染は、実害が目に見えないだけに危機意識の共有が進みにくい。さらに原子力発電所の事故や核実験で放出される放射性物質による汚染もある。

汚染の対象となるのは大気、土壌、河川、海洋から宇宙空間、そして動植物にまで至り、人間も例外ではない。

次に社会資源について考える。社会資源もほぼ全ての分野で課題が見受けられる。

まず公共インフラの老朽化が深刻化している。建設後五十年以上経過する施設の割合は、２０１８年から33年にかけて、道路橋が25％から63％へ、トンネルが20％から42％へ、河川管理施設が32％から62％へ、下水道管渠が４％から21％へ、港湾岸壁が17％から58％へ、それぞれ増加すると予想される。

鉄道は、全ての橋梁とトンネルが事業者によって管理されているが、平均年齢は橋梁が56歳、トンネルが62歳であり、高齢化が進む（国土交通省「社会資本の老朽化の現状と将来予測」）。将来へ負担のさらなる先送りは難しく、人口減少で税収や利用料収入の落ち込みが見込まれるため、長寿命化でしのぐ方策が示されている。

事業収入を得られる公的サービスは、民営化によって行政からの切り離しが進められてきた。ＧＨＱによる占領政策を別としても、航空、鉄道、道路、電話、銀行など多数の国営・公営組織が、民間企業として生まれ変わりを果たしてきた。民営化の目的として効率化、コスト削減、サービス向上、債務の返済などがある。全てが順調ではなく、ＪＲのように不採算路線が廃線となるようなケースもある。

今後民営化の加速が予想されるのが、第一章で触れた水道事業である。宮城県は上・工・下水における二十年間の更新費を合計１９６０億円と見込み、コンセッション方式を導入することで総事業費の７・４％から14・４％を削減できると試算した。

検討当初、コンセッションの水道事業への導入は水道法の規定により不可能であった。そこで平成28年、宮城県は政府に対し水道法の改正を要望した。公的部門の民間開放を推進する安倍内閣にとっても渡りに船で、平成30年に改正水道法は成立した。

全国を見ると、四十年の耐用年数を超える水道管の割合は、２０１６年の13・６％から45年には59・５％へ増加することが予想される（厚生労働省「最近の水道行政の動向について」）。全国の水道施設の更新費の推計結果によると、２０１９年から38年までの更新費は、毎年平均で１兆９０００億円に上るとされる（同「水道の現状について」）。

これまで実績のある民営化と異なり、水は命に直結する資源だ。一度民間企業の手に落ちれば、行政や住民よりも立場が上になる。世界で初めて水道を民営化したフランスで、パリの水道料金が最大２６５％上昇したように、いずれ企業側の立場が行政側を逆転し、金額設定の変更を余儀なくされることも考えられる。

水と空気を浄化し、豊かな生態系の宝庫である農地や私有林は、公共の利益をもたらす私的財に位置づけられる。適切に管理されていれば、大量の雨水をためることで洪水や土砂崩れを防ぐが、持続的な管理が各地で危ぶまれている。

まず農地では、２０１４年と19年を比較すると、荒廃農地の面積は27・6万ヘクタールから28・4万ヘクタールへと増加している。大きな変化はないように見えるが、そのうち再生利用可能な面積は13・2万ヘクタールから9・1万ヘクタールへ大きく減少している（農林水産省「荒廃農地の発生・解消状況に関する調査」）。主に自営農業に従事している人の数は、２０１５年の１７５・７万人から20年には１３６・１万人（概数値）へ、大きく減少している（同「農業センサス」）。

次に私有林では、２０１０年と15年を比較すると、保有山林で過去一年間に植林や間伐などの林業作業を行った実経営体数は、８万６７５３経営体から5万３４６経営体へ激減している。15歳以上の林業への就業者数は、１９８５年には13万９８６２人であったのが、２０１５年には6万３６６３万人へと、やはり激減している（林野庁「森林・林業統計要覧」）。

単に整然としているだけではなく、土地の有する機能が持続可能な状態でなければ、適切に管理されているとは言えない。農薬を大量に散布すれば、土壌は健康ではなくなり、農業害虫以外の生物へも悪影響をもたらす。

農地面積あたりの農薬使用量（有効成分量）を国際的に比較すると、日本は一ヘクタール当たり13・2キログラムで、13・1キログラムの韓国を抑えて主要国中でトップである（農林水産省「農薬をめぐる情勢」）。グリホサートとともに国際的に規制が進むネオニコチノイドは、自然界に長期にわたって残留する毒性の強い成分である。日本でも蜜蜂の大量死や、水田から河川や湖沼などへ流れ込むことで水生生物の減少を招いているとの指摘がある。

集約化と民間企業の参入が進めば、持続可能性よりも効率性・生産性を優先する手法が用いられることになるだろう。規制の範囲であれば土壌の状態などお構いなしとなり、不採算になれば撤退したり、ソーラー発電などに土地を転用したりすることも、あっさり行われると予想される。

代々土地を守ってきた農業者としては、土壌の状態を守って丹念に栽培したところで、売れなければ生活していけない。一次産業が弱肉強食に染まれば、良心的な個人農業者ほど価格競争の犠牲になる。

私的財は私有財産権が強固に守られている。そのため所有者の許可なく現状を変更させることは、公共の利益が害されるのを防いだり公共の利益を高めるためであっても、原則として認められない。私有財産権と公共的利益のバランスは、資源を適切に管理するために見直す必要があるだろう。

知識や技術、技能といった資源も、継承が課題となっている。一次産業は様々な技能が受け継がれてきたことによって支えられている。土壌づくりは農業において最も中心的な技能だ。また製造業において、伝統的な各種の工法も担い手の不足が顕著になっている。二次産業における機械化やマニュアル化の進展は、同質の製品を早く大量に生産することを可能にしたが、人間の感性や感覚なくして成立しない物づくりの分野もある。

こうした非物質的な資源は、一度絶えてしまうと復元することはほぼ不可能だが、その重要性が見えにくく、社会的な問題意識を高めることは難しい。

◆第3節　社会的共通資本

様々な資源が危機に瀕している中で、それらを持続的に利用し続けるためには、それぞれの課題に合った進め方による管理が必要である。まずは天然資源と社会資源について考えるために「ゆたかな経済生活を営み、すぐれた文化を展開し、人間的に魅力ある社会を持続的、安定的に維持することを可能にするような社会的装置」としての「社会的共通資本」を参考としたい。

社会的共通資本を提唱したのは、ノーベル経済学賞に最も近かった日本人と評価される宇沢弘文である。宇沢は昭和3年に鳥取県米子市で生まれた。三歳の時に家族で東京に移り住み、東京府立第一中学校、旧制第一高等学校、東京大学理学部数学科を卒業する。特別研究生として大学院に進むが、戦争による荒廃から社会を立て直すことを志し、経済学へと転向した。ケネス・アロー教授の研究助手として二十八歳で渡米し、三十六歳からシカゴ大学や東京大学で経済学を教え、八十六歳で死去した。

社会的共通資本について宇沢は「一人一人の人間的尊厳を守り、魂の自立を支え、市民の基本的権利を最大限に維持するために、不可欠な役割を果たすもの」と捉える。具体的には①自然環境、②社会的インフラストラクチャー、③制度資本の三つの大きな範疇に分けて考えられるという。

社会的共通資本は私的財であっても「社会全体にとって共通の財産として」政府による経済的な基準やルールではなく、自立的立場から専門的知見に基づく職業的規律によって、管理・運営されることが原則である。そして**各種の社会的共通資本の管理・運営は、統治機構としての政府の機能ではなく、全ての国民の監視の下で行われなければならない**とする。

自然環境は、地形や動植物などの要素が相互に関連して構成する全体を意味する。それは互いに影響し合うことによって生まれる総合的な環境であり、自然界における資源の枯渇は直ちに社会の存続を危うくする危険を内在するという。そこで、特に自然を相手になりわいを営んできた農業や林業を重視することになる。

農業や林業は基本的に自然環境を破壊することなく、食料や物資を生産し、災害を食い止める機能を有し、人間にとって憩いの場となっている。確かに公共の利益と言えるだろう。

だが作物の成長には一定の時間がかかるため、生産量を飛躍的に増加させることはできない。逆に工業は技術が発展すれば生産力が伸び、同じ所用時間で生産量を何倍にも増やすことができる。生き物を相手にしている以上、農業や林業は生産性で工業に勝てるわけがないのだ。だから農業や林業の経営に競争の原理を導入したり、自己責任を求めてはならない。

社会的インフラストラクチャーは既に公共の財産として、様々な方式で管理されている。方式には公営、無償ボランティアによる管理、業務委託、指定管理者制度、ＰＦＩ、コンセッション、公設民営、民間経営などがある。管理・運営費用には税を充てる場合と使用料を徴収する場合がある。現在は各管理主体が長期的な修繕計画を策定し、ほとんどが計画的に管理・運営されている。

競争の原理に基づく民営化は短絡的だとする宇沢の視点は、より広く都市全体をも社会的共通資本として捉える。特に都市における自動車の存在に、厳しい注文を投げかける。それは「くるま社会」の到来によって新たに生じた見えない費用、つまり①道路建設や交通安全対策のためのもの、②生命や健康の損失分、③公害や環境破壊による損害分、④生産や利用の過程で使われるエネルギー資源消費分を可視化させ、賦課金として内部化する「社会的費用」を推計すべきとの内容である。

制度資本という言葉は一般的にあまり使われていない。宇沢によれば教育、医療、金融、司法、行政などの制度を広い意味での資本と捉えたのが制度資本であるという。

社会的共通資本の機能、役割を考える上で制度資本は非常に重要な位置にあり、その中でも特に大切なのが教育と医療とされる。なぜなら「どちらも、一人一人の市民が、人間的尊厳を保ち、市民的自由を最大限に享受できるような社会を安定的に維持するために必要不可欠」であるからだ。よって競争の原理のような市場的基準や、条件や点数を満たしているかという官僚的基準で教育行政が管理されることは、望ましくないのである。

また大学は、国の文化水準を表す象徴的な意味を持つものであり、効率性が大学に求められれば社会的・文化的に大きな損失をもたらすとする。宇沢が『社会的共通資本』を発表した2000年は、国立大学民営化の調査検討が開始された年である。国立大学は04年に大学法人に移行したが、研究費が削られたり学費が高騰したりと、大学が持つ社会的教育資本としての機能の低下が起きている。

医療については、医療的最適性と経営的最適性を一致させるために社会的補填が必要であると指摘する。医療的最適性とは、医師が医学的に最も望ましいと判断した医療行為のことである。また経営的最適性とは、長期にわたる経営的な安定のことである。社会的共通資本として医療を考える場合、医療を経済に合わせるのではなく、経済を医療に合わせることで両者の一致と捉えるのが、基本的な意識であるという。

◆第4節　技能という見えない資源

物質的な資源がどんなに豊富に調達できたとしても、それらを活用するための知識、技術、技能がなければ、社会生活を向上させることは望めない。私たちは歴史において、これらの見えない資源を自らの手で育て、受け継ぐことで、知恵を深化し健康を増進するなど生活全体を豊かにしてきた。

知識は通常、紙に書いて残すことができる。電磁的記録媒体を使えば、膨大な量の知識を半永久的に残すことが可能だ。しかし見えない資源には、形に残せないものもある。特に技能は、伝える側と受ける側のそれぞれが存在してそれぞれが汗をかかなければ、時間の経過によって忘れられてしまうことになる。

技術と技能とでは何が違うのか。一言で定義すれば、技術とはマニュアル化できるものであり、技能とはマニュアル化できず臨機応変に対応する能力が求められるものである。マニュアルとは作業の手順などを体系的にまとめたもので、様々なケースを想定し、条件に合わせて次の行動を決定する手順が定められる。工業生産や接客の現場などで用いられ、マニュアルに従って作業すれば、品質を均一化したりロスタイムを減らすなどの効果が生まれる。

技術は普遍的だが、技能は限定的である。よって技能は基本的に点数化できない。だから国の技能検定試験は、正確には技能ではなく技術とするべきだ。

ある人が特定の技能を習得できたかどうかは、通常は師に当たる習得者が、彼の働きぶりを直接見て判断するしかない。これが技能を伝えることの難しさの一番の要因である。律令制以前の古い時代から、家職として職業が世襲されてきたのは、子や血縁が最も安定的に技能を継承できる相手だからである。

さて、まえがきで示した縄をなう動作も技能である。縄をなうためには材料となる稲を育てなければならない。稲を育てるには農業の技能が必要である。なった縄を素材として日用品を製作するには工芸の技能が必要である。縄という素材によってつながる農業と工芸を例に、技能について考える。

まず農業はどうだろうか。作物を生産するには種や苗が要る。同じ個体から採れた種でも全てが同じように成長するわけではなく、大きく成長する種を選び出さなければならない。米のように種もみを塩水につけて選別する比較的簡単な技能もあれば、種芋の選別のように経験を積んだ農業者の眼力が必要な技能もある。種や苗を植える田畑の土壌の質を保つことは、特に重要な技能だ。田に流れ込む水の質や堆肥の状態が、生育に適合しているかどうかを見分けることができれば、生産物の品質は格段に上がる。畑における連作障害を避けるための知恵も、技能と言えるだろう。常に田畑や作物の状態を見極め、雑草や病気から守るための技能、より多く実らせるための技能、最良の状態で収穫するための技能など、決してマニュアル化することができないのが農業における技能である。

工芸はどうだろうか。多くの工芸品における素材の源は木や土や鉱物などの天然資源である。ただし同じ材料であれば何でもよいわけではなく、どのような条件にどれほどの期間置かれていたかによって、品質が変わる。その品質を見極める力が技能である。材料がそろったとしても技能がなければ、切ったり形を変えたりすることはできない。製作という作業において、経験に基づく勘が必要になる。これも技能である。五感を集中して素材と対話する力も技能である。デザイン、利便性、耐久性などの品質も技能によって裏打ちされる。もし経年劣化しても、素材と技能があれば復元、再利用、転用することができる。工芸もこれだけ多様な技能に支えられているのである。

林業や水産業、畜産といった分野にも守るべき技能資源は数多くある。もちろん機械化やマニュアル化を完全に否定すべきではない。機械化しても品質が落ちず、手作業より早く正確に行える手順もある。また機械化やマニュアル化が進めば、労働者に高い学歴や技能が求められることがなくなるため、雇用の機会が広がる。よって機械化できるものは機械化し、マニュアル化できるものはマニュアル化する個別の判断が重要となる。ただし人の感覚や感性が必要な手順については、技能資源としてこれを保存・継承できる仕組みを考えなければならない。

◆第5節　資源のために何を実践すべきか

実践的郷土愛、パトリズムの立場から、資源を守るために私たちは何をすべきであるのか。いくつかの観点から考えていきたい。

まず温室効果ガスの排出量が適切に管理されていないことには、どのように対処していくべきか。基本的には温室効果ガスの排出量が少ない発電の比率を高めていくことが求められる。しかし再生可能エネルギーによる発電は天候など自然状況に左右されるため不安定であり、安定して電気を供給できる発電を今後も主力電源とせざるを得ないとの意見がある。東日本大震災以降、日本における電力供給量は火力発電の割合が非常に高くなっている。

日本は、どこを掘っても温泉が湧く火山国の強みを生かすべきではないか。地熱発電は空気を汚さず気候状況に左右されない安定した電源として、世界各国で新たな導入が進められている。日本における地熱発電の供給量は、全供給量の僅か0・2%にとどまっており、政府は2030年までに地熱発電による発電量を150万キロワットに拡大することを目指している。

地熱発電に適した場所は、国立公園の中や有名な温泉地の付近に多い。地元住民の理解を得られるよう丁寧な調査や説明、そして情報公開を進めていくこと、さらには発電所の運営に地元住民を加えることなどが望まれる。

また小水力発電やメタン発酵ガス発電など小規模な新エネルギーは、火力や原子力など大規模発電よりも住民にとって身近な存在となり、発電事業に関与する機会の拡大につながるだろう。

同じ天然資源の問題であるプラスチックによる海洋汚染には、どのように対処していくべきか。

プラスチック資源の再生利用を促進するために、制度の構築や技術の開発は進められている。しかしこの問題を根本的に解決できない理由は、廃プラスチックを自然界に放出しても誰の懐も痛まないことにある。人の懐は痛まないが、その陰で自然界がダメージを受け、将来の人類が影響を引き受ける。

現在の諸制度は性善説に立つため、人は再資源化に協力することを前提として構築されている。現実は、手間はかかるが再資源化に協力する人はいるし、手っ取り早くごみとして廃棄する人もいる。しかし残念ながら意図的に、あるいは誤って自然界に放出する人もいる。

そこでどの程度の割合が自然界に放出されるのかを過去のデータから分析し、それを回収するための費用と汚染された自然界を復元するためにかかる費用を「帰属価格」として、実際の価格に転嫁する必要がある。

帰属価格の算出は、国単位ではなく広域自治体単位で行い、地域別の数値を公表すべきである。帰属価格は消費者の負担となるが、過剰包装をやめる、正しい回収や廃棄に協力する、プラスチックを自然界に放出しないなどの行動を実践する企業や人が増えれば、極限までゼロに近づけることができる。

日本だけの問題ではないからと目をつぶるのではなく、まずは地域で問題解決を図り、地域間・国家間の連携強化につなげることを目指すべきである。

農地や山林などの私的財が適切に管理されていない事例には、どのように対処すべきか。適切な管理とは、その土地が持つ本来の生態系を維持し、可能な限り景観に配慮しながら災害の危険性を除去し、食料や物資が安定的に生産できる状態を保つことである。

適切ではない管理は①不適切な管理、②不十分な管理、③私権が公共の利益を侵している状態の三つに分かれる。①の不適切な管理とは生態系や景観への破壊行為、資源の乱獲や不可逆的な汚損を与えることであり、②の不十分な管理とは手入れの放棄や危険箇所の放置のことである。

農地や山林に所有権が認められるとは言うものの、その性質は公共の利益をもたらすものであるのだから、所有者は適切な管理に努め、地域住民は身近な農地や山林の状態に常に関心を向けなければならない。

管理が適切でない土地を適切な管理に結びつけるため、考えられる方法は二つある。一つは他者に経営を委ね、管理を任せることである。これは既に制度が導入済みだ。土地の集約化や企業の参入を進める際には、土地の管理計画を明文化して所有者はもちろん住民への説明責任を果たさなければならない。私権が公共の利益を侵すことになれば、結果として適切ではない管理に陥ってしまう。もう一つは適切な管理に必要な費用の一部を行政が補助することである。現在のところ、私有地の管理だけを対象とする補助制度はない。

こうした土地の環境を守ることは、個人の利益ではなく国民的・人類的な利益であり、今だけの利益ではなく将来にわたる利益である。破壊的な開発を行わない限り経営が成り立たず、**所有者による管理が困難と認められる農地や山林には、管理費用に限って公的補助を行うべき**であると考える。

社会資源の問題である公共部門の民間開放の流れ、特にこれから全国に広がることが予想される水道の「民営化」には、どう対応すべきか。日本とは逆に海外では、一度民営化した水道事業を公営に戻す動きが加速している。政策NGO「トランスナショナル研究所」の調査によると、2017年までに水道事業が民営から公営に戻された事例は、世界33か国で267に上るという。民営化を推進する側がよく使う話法が、民営化により効率化が図られサービスが向上するというものだ。しかし海外の水道事業民営化の例を見れば、人員削減による品質の低下、使用料の高騰、情報公開の後退など、様々な悪影響が表面化していることが分かる。

問題は、日本においてこうした海外の事情が広く知られていないことだ。メディアが積極的に報道しないことも理由の一つではあるが、誰もが情報にアクセスできる環境がある以上、最終的には個々人の関心の低さが原因である。

水道民営化の動きに歯止めをかけるためには、水道再公営化を実現した国々で起きている運動や現象が参考になるだろう。フランスにおける水道公社「オー・ド・パリ」の設立や自治体間連携、イギリスにおける若者を中心とした政治運動「モメンタム」、スペインにおける地域政党「バルセロナ・イン・コモン」の躍進などである。

これらの運動に共通するのは、選挙による間接民主主義だけを政治参加とみなさず、地域に根づいた自治的な合意形成を目指す「ミュニシパリズム」という姿勢だ。自治体を意味するミュニシパリティに由来する言葉で、利潤や市場のルールよりも地域住民の社会的権利を優先し、その政治課題を果たすために国際的な都市間連携を重視する。ミュニシパリズムに立てば、中央政府による残留農薬の規制緩和や種子データの民間開放などへも、自治体が独自に強い規制をかけたり条例を施行することで対抗が可能だ。

日本の大都市では、地方議会にまで政党政治がはびこり、国会の縮小版として勢力争いが常態化している。**政府が進めるグローバル経済路線から郷土とその住民を守るには、国政政党から自立した地域政党の存在が不可欠**だろう。パトリズムの運動を地域から起こすのは、その役割を担わんとするためでもある。

一次産業や工芸などの技能が断絶の危機に瀕していることには、どう対応すべきか。技能が絶えようとしている主な原因は、技能を発揮するための時間と労力、技能が生み出した商品の品質、そしてその価値が価格に反映されれば、大量生産された商品よりも割高にならざるを得ないことである。

しかしそれが割高であるとの捉え方は、逆転させなければならない。技能によって生み出される商品の価格こそが本来は基準となるべきであって、大量生産される商品の価格は、機械化による公共の不利益がマイナスに反映していると捉えることが必要ではないか。公共の不利益とは、技能の継承を難しくしていることのほか、生産の過程や売れ残りの処分における環境への負荷、労働者の技術や技能の向上の機会損失などである。帰属価格の考え方は、ここにも当てはめることが可能だ。

したがって帰属価格に相当する部分を可視化し、それをゼロに近づける努力を事業者や消費者に促す制度が必要である。ほかに**消費者の側に技能という価値への正当な評価や、技能を有する生産者の側に販路拡大など努力が求められる**のは、言うまでもない。

宇沢弘文によって社会的共通資本が提唱された当時とは、問題の本質が大きく変化した項目がある。それは制度資本としての医療である。宇沢は医学的最適性と経済的最適性の一致のために社会的補填が必要であると説いた。

しかし社会的補填、つまり公費を注入する前提となるのは、個々人が体質に応じて疾病のリスク管理という自助努力を行うことではないだろうか。病気になったら医者にかかればよいという気持ちで体調管理をおろそかにし、医者の側も簡単に検査や薬を提供するビジネス的な過剰医療を施していては、公費による補填はただの浪費にしかならない。

医療は一つの資源と捉えられるが、それは埋蔵資源と同様に限りある資源である。地域住民による「支える医療」への転換を図りながら、自助努力で対応できる範囲を越える患者に限って、宇沢の考えは反映されるべきであろう。


資源がグローバル企業や大資本家によって独占されることに対抗するための有効な手段を示し、この章を閉じたい。国営でも私営でもない、住民や労働者たちが共同出資して生産手段を共同所有・共同管理する「労働者協同組合（ワーカーズ・コープ）」を設立する手法である。

労働組合は雇用主と会社の存在が前提となる組織である。よって労働組合は、資本の中に取り込まれ、資本に協力することが運命づけられていると言える。一方で労働者協同組合は、住民や労働者自身が話し合いによって経営の方針を決定する。株主に利益を還元する必要がないため、市場に注意を払うよりも、労働の環境や地域社会への還元に重点が置かれる。

日本における労働者協同組合の歴史は古く、その起源は昭和46年に遡る。主に中高年者への失業対策の一環として兵庫県西宮市に設立された「高齢者事業団」が、日本における労働者協同組合のスタートであるという。その後、全国各地で同様の事業団が起こされ、昭和54年に「中高年雇用・福祉事業団全国協議会」が結成された。

協議会は昭和61年に「労働者協同組合連合会」へと発展し、平成10年から労働者協同組合法の制定に向けた運動を開始する。四半世紀にわたって継続された運動が実を結び、令和2年12月の臨時国会において、議員立法により労働者協同組合法が可決した。全会一致の採決結果が、この法律の意義深さを物語っている。

これまで中高年者の失業対策のほか、訪問介護やデイサービスといった**エッセンシャル・ワークを主に引き受けてきた労働者協同組合は、今後は新エネルギー発電所の運営や、一次産業の空洞を埋める経営管理、水のように命に直結する社会資源の管理などの担い手にもなり得る**だろう。

もっともそれに参加するのは地域住民であり、成果につなげるためには住民による実践が不可欠である。

第3章

鑑賞から継承へ

文化を引き継ぐ

地方拠点都市は、個性豊かな伝統文化を維持し、新しい地方文化を育てるためのターミナルとしての役割を果たさなければならない。伝統ある文化の保存・継承は、観光のためだけではなく、市民の郷土愛を深め、国民全体の財産ともなる。

田中角榮『日本列島改造論』

◆第1節　文化とは何か

前章では主に人の生存に関わる資源について検討した。社会生活の維持向上に欠かせない事物である以上、それらは必然的にビジネスの対象となり、金もうけに利用されることになる。本章はそのような性質の資源とは逆に、商業利用から取り残されて淘汰されようとしている資源について、検討していくことになる。これらはもうけるための利用価値は低いが、人の営みに活力をもたらす大切な要素であることに間違いない。本書における「文化」とは、そのような枠組みの事物を指す。地域や国にとって資源が所有物であるとするなら、文化は魂や精神に当たると言える。

宇沢弘文は著書『社会的共通資本』において、伝統的社会における文化の意味と、近代的社会において用いられる意味との間に本質的な差異があるという、ハイデンライヒ＝ホールマンの考察を紹介している。伝統的社会における文化とは、地域の歴史において培われてきた行動様式や技術などに、人間の行動や思想によって生み出されたものを加えた一つの総体として捉えるものであり、近代的社会における文化とは、知的または芸術的な活動に限定して考えるものであるという。そしてヨーロッパ諸国が植民地化を進める過程で、伝統的社会における文化は経済的発展の名の下に否定され、抑圧されたとの認識を示す。本章で検討する文化は、宇沢が指摘する伝統的社会における文化にほぼ重なる。

文化はどのように進展してきたのか。人類の文化は人類の登場とともに始まったと言えよう。文字が生まれる前から、人々は生きるために水や食料を調達し、太陽と月と星を見て季節の変化を読み取り、暑さ寒さや外敵から身を守り、生と死の循環に身を置いて暮らしてきた。自然現象の科学的なメカニズムに関する知識はなく、見えない崇高な存在によってそうしたものがもたらされると、現実を受け止めていたのだろう。崇高な存在に対して資源の恵みへの感謝を捧げ、いつまでも絶えることなく十分に満たされることを祈った。

また最大の不安である自己の死と、最大の悲しみである隣人の死に対し、それを受け入れるために死後の在り方の答えを求めようと苦悶したはずだ。そこで導かれた解こそが、文化の源流としての原始的宗教と言える。

人々は生存確率を高めるため、個々で生きることよりも共同で生きる道を選んだ。しかし共同生活には、個々人の自我が対立することによる争いのリスクもある。そこで共同生活を送る上での行動規範が形づくられていく。生命の危険を避けるための安全規範、円満に生活できる社会を築くための社会規範、至高なるものの尊貴性を保つための宗教規範などである。これらの行動規範は、ある時点で同時に成立したわけではなく、共同体ごとに理解される内容が、自然発生的に徐々に成立したと考えられる。集団で共有されるためには、意思疎通の手段として言語が欠かせない。よって言語も文化の重要な要素の一つである。行動規範は共同体において、道徳や倫理として自主的に守られることが理想である。文字が発明された後、これらの一部は明文化されて経典や法典となった。

あらゆる文化を生み出す「文化の母」が言語である。言語は文化を担う人々が持つ精神性と、精神性を培うもととなった自然環境により、固有の表情を与えられる。他者に対して自己をどのように置く文化であるのかが文法に影響し、気温や湿度や生態系が発音に影響するとも言われる。ルーマニアの思想家シオランは「私たちはある国に住むのではない。ある国語に住むのだ。祖国とは国語だ」と言った。言語は人と人とが意思を伝え合う役割を持つだけでなく、文字や語り伝えを通すことによって郷土の先人と文化の共有を可能にする。古典を理解できなくなれば、その人は郷土を失ったのも同然である。

言語は目には見えない至高なる存在への賛美や感謝、また畏れを示す際にも用いられてきた。身の回りの自然物を用いて音を鳴らしたり、言葉に節や抑揚をつけて歌ったり、衣装を身にまとい歌に合わせて舞ったりした。また地域で調達できる最大限にぜいたくな物品をもって供献し、人々は豊かさの実感を共有したのである。こうしたことが繰り返されるうちに、型や様式が定まり、神事として定着することになった。

神事は特定の一族によって世襲されることが多かったが、歌や舞は庶民の娯楽でもあった。めでたいことをあらかじめ祝福する「予祝」や、災害を取り除く意味合いの「除災」といった民俗芸能は、主に庶民の間で発達したもので、大なり小なり神事からも影響を受けていると見られる。文化財保護法は衣食住、生業、信仰、年中行事等に関する風俗慣習、民俗芸能、民俗技術を無形民俗文化財と定義している。

民俗文化財とは色合いの異なる伝統芸能として、茶道や華道などの芸道がある。これらは家元制度を取り入れることで、近代的社会における文化として永続していく道を選んだとも捉えられよう。

◆第2節　文化をめぐる現状

現在、無形民俗文化財のうち重要なものは国、都道府県、市町村がそれぞれ指定することができる仕組みとなっている。指定した機関はその文化財の保存・活用のために必要な措置を講じなければならないとされる。もちろん指定を受けていない文化財も存在する。それら全ての情報を国が一元的に把握する体制は整っていない。よって無形民俗文化財の全貌を把握できる資料は存在しない。

文化財保護法には、国が指定する以外の無形文化財の記録の作成に関する規定がある。文化庁長官は特に必要のあるものを選択して、自らその記録を作成し、保存または公開することができるとされる。選択された無形民俗文化財は記録、保存、公開に対しての経費の一部について、公費による補助を受けることができる。令和2年現在、国が指定する重要無形民俗文化財は320件、記録作成等の措置を講ずべき無形の民俗文化財は649件である（文化庁 国指定文化財等データベース）。


無形民俗文化財は全国的に、少子高齢化や人口減少などにより存続の危機に立たされている。具体的にどのくらいの割合が活動を中止したり、消滅したりしているのか。全国を網羅したデータは存在しないため、文化庁の平成27年度全国地芝居（地歌舞伎）の実態等データ作成業務において実施されたアンケート調査を基に、無形民俗文化財の置かれている状況の把握に努めたい。

この調査によると、活動中の地芝居団体は218あり、活動中止・消滅した地芝居団体は30あった。活動中の地芝居団体から回収された調査票には、会員数の欄に「一番多い年代」を記述する欄がある。自由記述なので表記にばらつきが見られ、記入されていない調査票もあるが、年代別の割合をまとめると六十代が最も多く約40％、次に五十代が約23％、次に七十代と四十代が同数で約13％、二十代が約2％との結果であった。

無形民俗文化財の保存活動には、次世代の継承者である子供たちが参加していることが理想である。子供歌舞伎がある団体数の集計によると、活動中の地芝居団体では111（約51％）、活動中止・消滅した地芝居団体では8（約27％）である。

子供歌舞伎の問題点等の自由記述には「指導者の高齢化や不足・減少」「新規加入者数の減少」「学校統廃合による影響」「学校や親の協力不足」「クラブや習い事で時間に余裕がない」「大人の歌舞伎へつながらない」「予算の不足」などの記載が見られ「来年で終わるかもしれない」といった深刻な声まである。

この調査結果は無形民俗文化財の中でも対象を地芝居（地歌舞伎）に限ったものだが、活動の中止や消滅が決して珍しくはないこと、担い手の多くが六十代に差しかかる一方で若い年代の新規加入が少ないこと、地域の子供を対象とする伝承活動にも限界が見られることなど、他の種目の無形民俗文化財にも同様の傾向があると推測される。

以上の調査には表れていないが、無形民俗文化財の担い手が減少している別の要因として、地域における第一次産業従事者の減少があると思われる。一次産業はどれも個人で成り立つものではなく、集落における規範を互いに守り、周囲との調和を図りながら、従事者間の団結によって支えられてきた。予祝や除災などの性質からも分かるように、民俗芸能の多くは生産活動の延長線上にあった。

芸能は技能の一種であり、技術のようにマニュアル化することができない。集落に常駐しないサラリーマンにとって物理的に参加が難しいのは、マニュアルに頼れないという理由もあるだろう。さらに、サラリーマンは集落以外の人とのつながりが広がり、価値観や倫理観が多様化する。自分にとってメリットがなければ、限られた余暇を費やそうとまでは思えないだろう。

民俗芸能を観光資源として活用している地域もある。行政や地元企業と上手に連携することにより、財政的に自立して保存・継承活動を行っているケースも、わずかではあるが存在する。しかし全体から見ればごく少数の例外的なケースに過ぎない。また具体名は避けるが、商業目的のために芸能本来の姿が変容してしまったケースもある。時間の経過による緩やかな変化が否定されるべきではないが、商業目的で故意に手を加えるのはいかがなものか。

無形民俗文化財に対する公的支援も一般的に薄い。そこには商業的な価値が低いこと、つまり経済効果が見出せないことが関係しているだろう。経済効果が期待される文化行事は、行政から助成金を引き出すのもそう難しくはない。しかし助成額が大きくなればなるほど高い事業評価が求められるため、より刺激的な演出が加えられる悪循環さえ招きかねない。その陰で多くの民俗芸能が、ひっそりと息を引き取りかけている。経済効果につながらない資源だからこそ、未来へつなぐために努力しなければならない。

合理性や効率性、また商業目的化を理由に文化としての継承が危うくなっているのは、言語も同じである。明治中期以降、日本を近代的な国民国家に変貌させる政策の一環として、教育現場における言語の標準化が進められた。後に外国語を国語あるいは公用語にするべきとの主張まで飛び出すが、その意図するところは合理性や効率性を高める意味で同じであり、言語を道具としてしか見ていない姿勢も重なる。

言語標準化政策は終戦によって積極的に進められることはなくなったが、方言復活への方針転換はなく、教育現場における標準語使用は続けられた。また方言を使用する者に対して揶揄するような風潮や、メディアによる標準語の使用などの要因もあり、方言を使用する人口は減少の一途をたどっている。

ユネスコは、世界で２５００に上る言語が消滅の危機にあり、日本国内で8の言語・方言が消滅の危機にあるとしている（Atlas of the World's Languages in Danger 第三版）。危険言語・方言に認定されていないものでも、東日本大震災などの自然災害によって危機的な状況に置かれるものもある。方言を日常生活で使用しているのは主に高齢者世代であり、世代交代が進めば、生活における生きた文化として生き残れるのは、お国なまりがやっとだろう。

方言を生きた文化として残すのであれば、私たち一人一人が日常的に使用することが必要だ。しかし方言に囲まれた生活を送ったことのない現代人にとって、方言を日常語とするのは非現実的である。

そこで次善の策として、話者が存在しなくなったとしても文章語として使用できる「口語としての死語」で踏みとどめることを努力すべきではないか。これなら表現活動を演出するコンテンツとして使用されることが可能であり、何かをきっかけに評価が見直されることも期待できる。それぞれの方言について全貌を記録に残し、完全な死語となることだけは避けなければならない。

既に学術団体や愛好団体などが実施しているが、方言の単語を現代語に訳するための辞典の編纂をはじめとする事業は、地域の方言が完全な死語となることを防ぐために不可欠である。また方言による昔話の伝承活動などが行われている地域もある。

言語をめぐる現代の問題は、グローバル化の進展と同時に進む言語標準化の流れを受け、日本語がかつての方言のように積極的に手放される方向へ進みつつあることだ。現に小学校において令和2年度から英語が必修教科とされた。海外に展開する民間企業において英語を社内公用語とする動きも、平成24年に楽天やユニクロで実施されて以降加速している。

英語化政策の動きは、第二次安倍内閣から活発化したように見られる。平成25年3月、第四回産業競争力会議において、世界を相手に競う大学は五年以内に三割以上、十年で五割以上の授業を日本語ではなく英語で行うとする数値目標が示された。このことを受け、26年度からスーパーグローバル大学創成支援事業が始まった。英語で行われる授業の割合に応じて、一校当たり最大50億円の補助金が配分される仕組みである。

国家公務員採用総合職試験でのＴＯＥＩＣなどの英語試験の活用は、平成27年度から始まった。地方公務員の採用試験にも、英語加点を導入する例が増えている。ＴＯＥＩＣはビジネスにおける日常会話を想定した英語能力を判定するための試験として開発され、１９８０年代から急激に国内で利用が広がった。しかしビジネスで実際に英語を使っている人たちの間では、必ずしも高い評価を得ているとは言えない。「点数が高い人が仕事で英語が使える人というわけではない」「点数と実力に乖離がある」「高得点者でも実務に使える人はほとんどいない」という意見もある。

日本を代表する認知科学者の大津由紀雄は、文部科学省の英語教育の在り方に関する有識者会議（第三回）において「既に大学での英語教育は就職率を少しでも上げるためのＴＯＥＩＣ対策講座に堕している」「高スコアは必ずしも英語の熟達度を示すものではない」などと指摘した。

ＴＯＥＩＣは問題を解くために複雑な思考を必要としないため、対策さえすれば誰でもある程度の点数を取れるとの見方もある。そして実際に、９００点を取っているにもかかわらず全く英語を話せない人も多い。このようなことが起こるのは、ＴＯＥＩＣが合否を判定する類いの試験ではなく、点数を上げるために何回も受験できる点で、他の一般的な資格試験とは異なるからではないか。

ＴＯＥＩＣの開発には通産省（当時）と経団連が関わっていたことから、英語ビジネスの既得権益を確保しようとしているのではとの疑念が持たれている。令和2年度からＴＯＥＩＣが大学入試共通テストの外部試験の一つに指定されたのも、そうした背景があるのだろう。教育をだしに使ってまで、言語の文化がビジネスの食い物にされている。

経済官僚と経済界が日本の資源の破壊に向けてうごめくとき、そこに外国政府やグローバル企業に配慮した、経済的利益への短絡的な欲求があることを疑わなければならない。小学校までをも強引に巻き込んだ英語教育改革とは、①新自由主義の理念に基づく成長戦略を達成するために、国際マーケットで競争に勝ち抜き、世界と戦える人材を育てることと、②海外の投資家が日本国内でビジネスを展開しやすくすることで、グローバルな資本を呼び込むことの、大きく二つの狙いがあると考えられる。

また国際バカロレアという流行に乗るために、国家戦略特区としての「公立学校運営の民間への開放」を進めたことによって、完全英語化授業の教育方針を前面に押し出した外国資本が教育産業に新たなビジネス創出の機会を得ることに道を開いた。こうした英語偏重の風潮が、日本語による質の高い教育を受ける機会を子供たちから奪い、日本社会の強みや奥行きの喪失につながるのではないかと懸念される。

さらには文化や学問の世界で英語の支配力が強まり、英語が世界標準語化することによって個人間の格差、国家間の格差が広がることを警戒しなければならない。言語学者の津田幸男は、英語支配の序列構造が生まれることに警鐘を鳴らす。英語支配の序列構造は全四層で構成され、日本人の大部分は常に英語を学び続けなければならない第三層に固定されるか、英語能力の高い一部の国民がせいぜい第二層に入るのがやっとである。

日本語で何不自由なく生活する大多数の日本人は、ネーティブスピーカーと英語第二言語話者約十億人が、英語を日常的に使用しない約五十億人を言語的に支配する世界秩序を歓迎するわけがない。しかし日本における英語化への盲目的な傾斜は、そうした支配秩序の完成に手を貸し、自らの首を絞めることになるだろう。

世界経済フォーラムが独自に集計した「世界で最も力強い言語」によると、日本語は経済力、知識とメディア力、外交力で比較的優れており、全体として第八位にランクインした（The most powerful languages in the world 2016)。

1億2500万人がこれだけ狭い地域で、同じ言語を使ってコミュニケーションを取れる環境は、非常に恵まれていると言える。外国語を習得することによって様々な可能性が広がることは確かだが、母国語としての日本語を捨ててしまうのは愚かな選択と言ってしかるべきだ。

◆第3節　なおざりにされてきた景観

明治の近代化以降の日本で社会経済の発展の陰に隠れ、ほとんど顧みられることがなかったのが景観である。五感のうち人間が最も多く働かせているのが視覚である。景観は視覚に快適さや不快さを催させる大切な要素だ。とりわけ生活範囲である郷土の景観は、そこに住む人々の精神性にも強く影響する。

「良好な景観」を定義するのは難しい。どのような景色に価値があるのか、何を美しいと感じるかは、人によって様々である。景観法には「良好な景観は、地域の自然、歴史、文化等と人々の生活、経済活動等との調和により形成される」「良好な景観は、地域の固有の特性と密接に関連する」といった基本理念が盛り込まれている。良好な景観の最大公約数的な定義としては妥当なものだろう。

景観は単なる自然の風景だけで構成されるものではない。景観を考える場合、同時に「まちづくり」の角度から見る必要がある。まちづくりとは、物理的・ハード面での建築事業だけの意味ではなく、そこに住む住民が協働で、地域におけるソフト・ハードを総合的にデザインする概念だ。景観とは過去の歴史を尊重し、より快適で豊かで趣深い風景を未来に向け、住民の手で作り上げていくものであって、ある時代に形成された風景をそのまま何百年も残せばよいという単純なものではないのである。

幕末から明治初期までに日本を訪れた外国人は、ほとんど異口同音に景観の美しさを評価した。中には、他の国では見られないとまで最上級にたたえる声もあった（独立行政法人国立環境研究所「1900年までに日本に来訪した西洋人の風景評価に関する記述」）。しかし明治政府による近代化政策が始まると、殖産興業という大義名分の下、道路、鉄道、送電線、工場などの整備が進められた。西洋列強に対抗できるだけの経済力や工業力をつけるためには、景観の保護など顧みる余裕はなかったのである。

また西洋化を進める政府の方針により、行政機関や学校などが洋風建築様式で設置された。従来の和風建築物が並ぶ地域に突如出現した異国風の建築物は、調和と言うには程遠く、むしろ存在感や威厳を示す効果を狙ったようにも思われる。

第二次世界大戦からの復興に際しては、まずは生活する場所の確保を真っ先に解消するため、時間をかけず安上がりに都市を整備することが最優先された。人口の急増とそれに伴う物資不足への対応として、干潟の干拓や杉の植林など原風景の大規模な破壊が断行された。

高度経済成長期からバブル期にかけては、大型公共事業が各地で実施され、水辺も山も生活空間もコンクリートで固め、空を埋めるがごとき高層ビルの無秩序な乱立、奇抜なデザインを持つ建築物の出現などの現象が起きた。住宅建設ブームにより山林が削られ、農地が埋められた。新しく開通するバイパス道路には必ず全国展開するチェーン店の看板が見られ、駅前には無秩序な広告看板が並び、住宅街には様々な注意書きののぼり旗や看板が立てられている。それぞれの都市が持つ固有性はほぼ消滅した

平成以降、大規模な自然災害の発生が続くと、国土強靱化の名の下にさらなるコンクリート化が進められた。また再生可能エネルギーの普及という新しい動向により、ソーラーパネルが敷き詰められたり風力発電施設が林立するなど、計画性のない風景が新たに生まれる問題が各地で発生している。

なぜ良好な景観の保護は後回しにされてきたのか。そもそも慣れ親しんだ景観が破壊されることを望む地域住民などいないはずである。しかし景観と、別の何かをはかりにかけたとき、別のものの方がより重要だと納得させられ、それを受け入れているうちに違和感をなくしてしまった。

これが全国で巻き起こった、景観破壊の根本的な原因ではないだろうか。別のものとは近代化、戦後復興、経済成長、景気対策、国土強靭化といった国家的目標の姿をしている。

大佛次郎(おさらぎじろう)は次のように述べている。

京都の塔（タワー・引用者注）を造った建築家は、今は目ざわりだとしても、慣れれば醜くなく見えて来ると断言した。なるほど、顔にあるあざや、たんこぶでも、始終見ていれば別に気にならなくなる。それだけに一般の考え方受取り方を変造してしまうことを予定しているのだ。羊のようにおとなしい市民だから、やがて、もとそこが美しかった事実も忘れて仕舞うのである。

「羊のようにおとなしい市民」は、政府や社会といったものの圧力に簡単に屈してしまう。良好な景観が失われていく原因には、当事者意識や実践力の欠如、また事に触れて起こる微妙な感情、つまり情緒への等閑視がある。無形民俗文化財や母国語の危機的状況とも通じるものがある。

コンクリート素材が多用されるのには、比較的安価に頑丈な建造物を作れる利点がある。高層ビルが上へ上へと伸びていく背景には、地価の高騰により規制の限界まで延べ床面積を広げたい事業者の思惑がある。電柱と電線は地下を掘るより安上がりであるため空を占拠する。広告看板は広告宣伝費として事業経費に算入できるから、事業者はより大きく目立つデザインのものを設置する。注意書きののぼり旗などは、行政が仕事をしていることを住民に示すのに重宝される。

景観より優先された国家的目標とは、結局のところ合理性、効率性、換金性といった、資本主義が内包する暴力的な独善性にほかならない。「経済のため」の一言がその欲望を正当化させるのであるが、その威力は資源を食い荒らし、文化を消し去り、人間社会から幸せを奪い取るまでに暴走していく。

◆第４節　文化のために何を実践すべきか

実践的郷土愛、パトリズムの立場から、文化を守るために私たちは何をすべきであるのか。文化の概念は非常に広い範囲にまで及ぶが、公序良俗に反するものでない限り、文化の種類によって優劣があるわけではない。高尚な文化、低俗な文化などと類別できるものではなく、いずれかの文化に親しむことによってその人の人生が豊かになり、人々の文化活動によって社会全体が明るいものとなれば、それ以上のことはない。

優劣はないが、強い文化と弱い文化があることは残念ながら確かである。強弱は文化そのものの個性としてではなく、文化が立たされる足元の基盤の状態である。強い文化は型や様式にとらわれず、流行を取り入れたり、場合によっては流行を作り出したりする。愛好者が多く、人気が高まれば商業的にも価値が上がる。弱い文化はこれとは逆に、型や様式を律儀に守り、流行を安易に取り入れたりはしない。愛好者や担い手は多いとは言えず、需要が少ないためもうけにつながらない。

無形民俗文化財の伝統的価値を認めない人はめったにいないだろう。だがそこに商業的価値を見出すのは困難だ。市場経済ではより売れるものこそが善と考えられ、伝統的社会における文化は強い文化に押しのけられるのである。だから伝統的社会における文化には、領主や有力者、富豪などが後援者となり、利益還元を度外視して財政的に支援してきた歴史がある。

しかし今、名前も存在も知る人の少ない無形民俗文化財に支援の手を差し伸べる民間企業はほとんど存在しない。もちろん、伝統的社会における文化が寄附を受ける見返りとして一企業のPRに利用されることがあってはならない。もし伝統的社会における文化に競争の原理や自己責任論を持ち込めば、より刺激的に、より流行を取り入れて、愛されようと努力することを強いられる。したがって弱い文化を持続させていくために民間営利企業を頼るのは望ましくない。

無形民俗文化財の保存・継承のために、どのように対応していくべきか。まずは地域住民が、地域の無形民俗文化財を知ることが必要だ。市区町村や都道府県は条例に基づき、区域内に存する文化財のうち特に重要なものを指定文化財に指定している。日本人であるなら、最低でも自分が生まれた地域と現在暮らしている地域について、指定無形民俗文化財の名称と内容程度は確認しておくべきだ。余裕があれば無形民俗文化財以外の指定文化財も知っておいて損はない。ホームページで簡単に確認できるし、博物館等の施設や教育委員会に質問すれば、より詳しく知ることができる。またパンフレット等に掲載されていることもある。

地域の無形民俗文化財の存在を知ることができたら、それらが演じられる祭礼やイベントに足を運び、伝統の担い手たちによる歌や舞を直接見てほしい。生身の人間によって命を吹き込まれていることが大事だ。博物館でビデオ映像を鑑賞するだけでは伝わらない何かを感じることができるだろう。もし対人コミュニケーションが苦手でなければ、担い手に話しかけて感想を伝えてほしい。そこに生まれる心の交流は、時間を越えた文化そのものとの対話である。

どの無形民俗文化財も、今後安定的に活動を持続させていくための課題があるのが現状だ。中には学校の授業で児童生徒に体験学習を実施したり、クラブ活動で指導したりと、次世代の育成に積極的に取り組んでいる保存団体もある。そのような地道な活動を知ることも大事だし、何らかの方法で応援されれば励みにもなるだろう。興味が深まった人は体験的に参加してはどうか。

ただし保存団体の側の事情として、新規加入がめったにないために参加者の顔ぶれが固定化し、閉鎖的な雰囲気になっている場合がある。新規加入者に頼り過ぎたり、昔ながらの価値観を押し付けたりすることによって、過度な負担を感じさせることもある。文化を末永く継続させていくためには、世代や生まれ育った環境によって価値観が異なることを理解しておかなければならない。

自治体に対しては、無形民俗文化財の保存・継承の担い手を教育委員会が技術職員として雇用することを求めたい。行財政改革の掛け声の下、公務員の人員削減が進められている。そのような課題に逆行するのではとの批判は必ず上がるだろう。しかし人口減少や高齢化などの要因は、保存団体の自助努力で解消できるものではない。競争の原理にさらせば望ましくない方向への変容は免れないし、映像や音声による記録だけを残すのでは剥製の陳列と変わらない。生身の人間による言語表現、肉体表現の保存・継承のため、最終手段として公費の投入は検討されるべきである。

現に重要無形文化財に指定される雅楽は、宮内庁楽部の職員によって継承されている。楽部の職員は技術職の国家公務員であるという。かつては世襲職であったが、現在は採用試験を実施することで公平性を確保している。また伝統音楽ではないが、自衛隊や警察、政令指定都市の消防には吹奏楽の演奏を行う音楽隊が置かれている。隊員はもちろん正規の公務員である。

このように文化的な活動を専門にする公務員を置くことは、税金の無駄遣いでは決してない。

一度途絶えた無形民俗文化財を完全な形で復元するのは不可能だ。歴史的公共財を後世に残すことの重要性が一層理解されることを願う。

日本人の母国語である日本語はどのように守っていくべきか。長期的には話し言葉の変化を止めることはできない。省略語や造語が使用され、または既成語が誤用され、それらが定着することは、日常会話でしばしば起こり得る。人間社会においてこのことは避けられない現象であると認めなければならない。

むしろ文章語が百年後、千年後の日本人の目にも触れられることを想定すべきだろう。それを踏まえれば、人と文章語をつなぐ場としての書店と図書館を守ることが、地域住民にとって大切な務めの一つと言える。

2020年の全国における公共図書館数は3316施設で、十年前から128施設増加している。同様に蔵書冊数は4億5724万冊で6395万冊増加している。この数値からは図書館が充実される方向にあるように前向きに捉えられるが、そこで働く専任職員数は十年間で2487人減少し、20年は9627人である。司書と司書補に着目すると、専任職員数が減少する一方、非常勤や委託・派遣の職員数が大きく増加している（日本図書館協会「日本の図書館統計」）。

こうした傾向は図書館に限らず社会教育施設全般に見られるが、安易な人件費削減による地域の教養の衰退が危惧される。専門職員の育成は地域資源の充実に等しく、住民としてその存在の重要性や雇用の確保については最大限に理解したいところである。

増加している蔵書の中身に目を向けると、近頃の公共図書館は利用者からの要望に親切に対応しようとするあまり、雑誌の蔵書を充実させたり、ベストセラーの単行本を発売後すぐに購入する傾向があるようだ。消費者の購入が最も期待される雑誌やベストセラーを図書館で充実させれば、本来は出版社や書店の売上となるはずの一部が失われ、出版文化や書店の経営に悪影響を及ぼすことにつながる。

したがって図書館は一般人にとって購入が難しい比較的高額の書籍を中心に購入を計画し、文庫本・新書本など低価格の書籍や雑誌はベストセラー以外を厳選するなど、**出版社や書店の経営を圧迫しないための配慮が必要**と考える。

戦前の日本で左右の全体主義と闘った自由主義者の河合栄治郎は「本は借りるな。買って読め」と言っていた。本を買うための書店に着目すると、全国における２０１９年の総書店数は９２４２店、総坪数は78・7万坪である。09年と比較すると総書店数が３９５２店、総坪数が16・９万坪減少した（日販出版流通学院「出版物販売額の実態２０２０」）。また書店一店舗当たりの平均売場面積は90年代から飛躍的に増加しており、大型店舗の進出によって個人経営店舗の淘汰が進んでいることが見てとれる。

幕末の江戸には８００、京都には２００もの書店があり、当時の日本人の識字率は九割を上回っていたという。西洋列強の植民地にされることを免れた理由の一つに、日本人の深い知識と教養があったとの指摘は誤っていないだろう。個人経営の書店の存在は、日本の安全保障の土台を構成する要素でもある。

雑誌をコンビニで、新刊本を大規模書店やインターネット書店で購入する人が増えており、電子書籍の売上も毎年20％前後の増加が続いている。購入時にポイントが付与されることも魅力の一つだが、個人書店にはそこまで対応できる余力はないのが現状だ。このままでは地域の文化の拠点である個人書店が生き残るのは難しい。

個人書店を消滅の危機から救うためには、もちろん事業者側の努力も必要だが、究極的には住民の利用を増やすしかない。また学校や図書館などの公共施設が図書を調達する際は、できる限り地元の個人書店を利用すべきだ。

グローバル化と同時に進行する英語標準化の動きにはどう対応すべきか。多様な価値観の創出や技術革新の進展などにより、先進国を中心に新たな概念が次々に生まれている。日本語には片仮名という便利な文字があるため、外国語の発音をそのまま国語に組み込むことが可能である（インバウンド、ゲートキーパー、スクラップアンドビルドなど）。また近頃は単語の連なりからそれぞれの頭文字を並べる表記も国内で普通に見られるようになった（ＡＩ、ＰＤＣＡ、ＳＤＧｓなど）。行政機関は好んでこうした言葉を用いる傾向があり、住民から意味が分からないと苦情を受けても、かたくなに態度を改めようとしない。このような姿勢はいかがなものか。日本の行政機関である以上、住民にとって分かりやすい日本語で表記することを原則とするべきだ。

明治の文明開化の際には、それまで日本語になかった概念の多くが、和製漢語として新たに作り出された。私たちが日常で当たり前に使用している、文化、文明、民族、思想、法律、経済、資本、宗教、哲学、理性、感性、科学、物理、時間など数多くの言葉は、江戸時代までの日本にはなかった概念であり、文明開化の時代に新たに生まれた日本語である。

日本語にはどんな英語も自国語化できる柔軟な応用力がある。これからも**海外で新たに生まれる概念を漢語として翻訳できる日本語力こそ育てるべき**だ。

英語教育の低年齢化は改めなければならない。どのような分野の学問においても、日本語化できない概念はないと言ってよい。日本語はそれほど高度に発達した言語であるし、むしろ日本語で思考された過去の蓄積を現代に生かすためには、日本語の読解力や共感力が必要となる。英語学習年齢を引き下げても、英語で思考できるまで英語力を高められるはごく一部の人でしかない。

また英語で思考できるからと言って必ず有用な人材に育つとは限らない。

大津由紀雄は、母語という礎なしの外国語運用能力は、ただペラペラだけの張りぼて英語力に過ぎないと断言する。その上で、英語教育で重要なのは「ことば」という視点を導入することであり、国語科との連携と、母語の効果的運用のための力の育成によって、外国語の効果的運用に必要な外国語知識を身につけるための基盤が形成されると主張している。

第一人者によるこうした意見からも、全ての子供の貴重な時間を英語教育に多く割り当てることは適切でないと言い切れるのではないか。義務教育段階では日本語も英語もともに言語の一つとして捉え、文法を第一に学ばせるべきである。文法の仕組みさえ覚えれば、単語を入れ替えるだけであらゆる文章表現が可能になる。その上で発達段階に応じ、語彙力、読解力、表現力を高めればよい。辞書を使って初見の英文を和訳できる、初見の和文を英訳できる力が身についていれば、義務教育の役割は十分に果たせたと言える。

経済産業省や経済同友会が行った調査によると、企業が新卒者を採用する際に重視する能力は、コミュニケーション力や論理的思考力が上位にあり、語学力は下位にあるという。英語で外国人との交渉に臨むことができたとしても、コミュニケーション力や論理的思考力が低ければ、交渉を有利に進めることは期待できない。

日本人の英語コンプレックスを利用して英語でもうけようという目論見に対抗するには、私たち一人一人が**日本語を大切にし、情緒ある表現や笑いのあふれる対話を心がける**など、日本語に囲まれた生活が豊かであり続けるための実践が求められる。

さらに母国語を尊重する姿勢を国内だけで完結させるのではなく、英語を使用せず母国語だけの生活でも十分に豊かさを享受できる多様性が保たれるよう、**非英語国の代表として非英語圏への支援を強化していく長期的な戦略が必要**ではないだろうか。

良好な景観をつくるためには何をすればよいのか。日本における景観保存運動の経緯を振り返り、今後の景観保護に向けた方策を検討する。

戦後いち早く都市景観に着目したのは、戦火を免れた倉敷市であった。昭和24年、全国初の街並み保存団体である「倉敷都市美協会」が市民の手によって設立され、地域の美観を保存するための運動を始めた。街並み保存を提唱したのは、大原美術館創設者大原孫三郎の長男、總一郎であった。

また都市開発によって破壊されようとした美しい景観を地域住民による運動が救った例がある。昭和39年、鎌倉の鶴岡八幡宮の裏山で宅地開発が計画された際、大佛次郎をはじめとする著名人や地元住民が「財団法人鎌倉風致保存会」を設立し、土地を買収するナショナル・トラスト運動を展開したのである。それを受けて国会は、古都における歴史的風土の保存に関する特別措置法を制定し、鎌倉、京都、奈良などでの開発に制限をかけられるようになった。

平成16年には、景観に関して規定する初めての法律である景観法が公布された。17年に全面施行されると、計画の策定や条例の制定、景観協定の締結などの権限が景観行政団体である自治体に付与され、景観問題に対して実効性のある施策を地域ごとに進めることが可能になったのである。

令和2年3月末の時点における景観行政団体数は759団体（都道府県42、政令指定都市20、中核市58、その他の市町村639）、景観計画策定団体数は604団体（都道府県20、政令指定都市20、中核市54、その他の市町村510）である（国土交通省「景観法の施行状況」）。景観を地域の公共財として捉え、住民が景観行政に関与する機会が増加することを歓迎したい。


各地域において具体的にどのような景観づくりを目指していくべきか。良好な景観は自然の地形が基礎となり、人々の生活に必要な建造物などがその上に置かれて形成される。山や海や川など自然の地形を破壊せず、そのままの姿で利用することが基本である。特色ある地形は、その美しさを意識して見せるように努めるべきであり、眺望の壁となっている高層建築物があれば長期的に除去することを目指していきたい。

住宅や商業施設などが都市周辺に無秩序に拡大するスプロール現象は、良好な景観を損ねることになる。都市と田園の境界を定め、コンパクトな都市を目指すことが求められる。

都市の上空は住民全体の財産である。高層建築物を制限し、太陽と空からの恩恵を住民に等しく行き渡らせることが必要だ。都市が無機質にならないようにするためには、花と緑と水場が必要である。逆に看板、電柱、恒常的に置かれるブルーシートなどの不良物は取り除いていかなければならない。やむを得ず設置されるバス停、標識、自動販売機などは、景観に配慮したデザインを採用するのが望ましい。

道路は本来、人間が安心して歩くために引かれるものだ。車中心ではなく人間中心の原則に立ち返り、歩行者の快適さを最優先に整備すべきだろう。中心市街地には歩行者天国やトランジットモールを導入し、子供からお年寄りまで健常者はもちろん、視覚障害者でも交通事故を恐れず歩行できる空間とすることが理想である。また公共交通機関も景観の一部である。美しく快適で便利な公共交通を実現するためには、住民側にも積極的に利用する姿勢が求められる。

伝統的な建築物は大切にし、活用するよう努めるべきだ。建築物を新改築する際は、地域で産出される素材をふんだんに使用することで、統一感のある景観が形成される。ごく一部地域に限ってでも、建築物の形態、色、高さなどを統一すれば、むしろ個性が発揮されることになるだろう。統一感を保つと同時に、統一感を害さない範囲の多様性も受け入れていきたい。

景観には、人々が歩き、交流し、社会経済活動や文化活動を行う姿も含まれる。都市の歴史や文化にまつわるシンボル、住民の手によって表現されるアートを置くことで、景観の個性は一層引き立つ。交流の拠点となる広場が置かれ、伝統的な祭りの開催などに利用されることは、人を中心に置いた景観づくりでは極めて重要だ。

景観は地域住民の創意と努力によってつくられ、維持され、進化していくものである。景観を常に気にかけるためには、都市を一望することでその姿を実感できる眺望スポットを設けるべきだ。年齢や社会的立場にかかわらず都市への関心を深める教育が行われれば、美化活動など快適な環境を守るための自主的な行動に結びつくだろう。

これらの方策を実施するには経費が必要となる。現在、公共事業に際する費用対効果の計算において、景観はほとんど顧みられることがない。しかし良好な景観は人に優しく、防災面での効果につながる利点もあるため、今後は景観を利益（効果）として捉えるよう思考の転換が求められる。景観への配慮を高めることにより、技術革新や雇用創出という別の効果を生むことも期待できるだろう。

フランスではＡＢＦ（フランス建造物建築家）という景観と建築の専門官が、文化省から各地方へ派遣されている。歴史的建造物の周辺地域は、私有地であろうと、ＡＢＦの許可なく庭木一本切ることができないという。

強い権限を有する専門官が設置されれば、日本でもより迅速にスムーズに、良好な景観づくりを進めることが可能になる。しかし望ましいのは、社会全体が景観の重要性を理解し、住民の合意形成の下で改善されていくことである。まずは**地域の風景のどこに問題があり、どのように改善すれば良好な景観に近づけるのか、自分の足で郷土を歩き、イメージする**ことから始めてはどうだろうか。

第4章

自治を高める

承認から参加へ

現在の府県制度は行政区域としてはせますぎるし、行政単位としても国と市町村のあいだに立ってあいまいな性格をもっている。新たに広域ブロック単位で国と地方自治体の中間的性格を持つ新しい広域地方団体を設置するのもひとつのアイデアではないか。

田中角栄『日本列島改造論』

◆第1節　自治をめぐる現状

人の生存に関わる天然資源や社会資源、人の営みに活力をもたらす文化的資源は、適切に管理されなければ本来の機能を果たせなくなり、持続可能性が損なわれる。これらを適切に管理するためには個々人による実践が基本だが、個人の力で解決できない場合には隣人と共同で取り組む必要が生じる。

人は共同体に属することにより、自らの生命や財産、共同体内での権利などが守られ、同時に共同体の運営費用の一部を負担する義務が生じる。また共同体の規範を制定したり改正・廃止したりする機会や、運営に関与する機会が公平に与えられる。このように共同体に関することを参画者が自らの責任において処理することを「自治」という。

共同体の規模が大きくなれば、全ての参画者が一堂に会して協議することが困難になる。そこで共同体を統治する機関を置くことになる。日本では、統治者である長や統治をチェックする議会の議員は、直接公選制によって選出される。また住民の意思が統治に反映されるよう、住民の直接請求、住民投票、住民訴訟などの制度が設けられている。住民の意思と責任に基づいて行政を処理する原則のことを「住民自治」という。

共同体として最も大きな単位が国家であり、国家を統治する機関が、国民の代表者によって構成される中央政府である。また国内に一定の地理的範囲を設定し、その範囲における住民からなる統治機構を自治体という。正式な名称は地方公共団体であるが、本書では自治体の語を用いる。都道府県を広域自治体、市町村を基礎自治体という。東京都の23区も基礎自治体に分類される。

現在の日本において基礎自治体、広域自治体、中央政府は、上下関係や主従関係ではなく対等な関係とされる。ただし自治体内で効力を持つ条例の制定については、中央政府が定める法律の範囲内でしかできない。逆に中央政府が自治体に対し、法令等に根拠を持たない命令を発したとしても、自治体にはこれに従う義務はない。中央から独立した自治体の権限と責任において地域の行政を処理する原則のことを「団体自治」という。

建前としては国と地方は対等な関係だが、実際は中央の方が強い立場にある。なぜなら自治体が事務を行うために必要な費用は、自治体が独自に全額を徴収しているわけではなく、交付金や補助金として中央から交付されているからである。

平成30年度決算から国と地方における税の配分状況を見ると、国税が64兆2241億円、地方税が40兆7514億円で、割合は6対4である。しかし実際は、地方交付税、地方譲与税、地方特例交付金が国から地方へ交付されるため、実質配分は4対6に逆転する（総務省「令和2年版地方財政白書」）。この格差があるために、自治体による自主的で自立的な事務の執行が阻まれているのである。基礎自治体と広域自治体の間にも似たような構図がある。ほかにも地方が担うべき分野に国が関与する国庫補助負担金制度や、国直轄事業への地方負担など、国と地方とが名実ともに対等な関係になるためには、様々な課題が残されている。

実質的には基礎自治体より広域自治体、広域自治体より国が優位にあるため、そこに依存関係が生じやすい。国会議員や知事は基礎自治体の長を補助金等で手懐け、基礎自治体の長は国会議員や知事から嫌われないよう選挙に協力する関係は、現代の日本においてどこでも見られる構図だ。こうした相互依存は両者にとって都合のよい関係だが、本来の自治の姿からはかけ離れていると言わざるを得ない。

日本の行政は前例を踏襲する限りにおいて非常に優秀だ。しかし高度に発達し過ぎたことによる弊害が二つある。①想定外の新しい事態が生じた際に迅速に対応できないこと、②自治の主体であるはずの住民が便利さに慣れてしまったことである。

本来は自治の担い手であるはずの住民が、行政による決定の過程を知らなくても大きな不利益を受けることがないため、特段の問題が発生することでもない限り、行政に対する関心が弱まるのである。行政の側としても、まえがきで述べた「由らしむ可し、知らしむ可からず」の態度で住民がいてくれるのが最も都合がよい。ここにも相互依存の関係が生じていると言える。

住民による行政へのチェック機能が弱まっている原因の一つは、決定の過程が見えにくいことだ。行政からの提案について議論し決定するのは議会の役目だが、メディアは国会のことばかり報道し、地方議会はよほどの問題でもない限り取り上げられない。国会が報道されるとは言っても、焦点が当てられる事項は視聴率を狙えるものばかりであったり、意図的に話題に取り上げられない事項があったりする。ただし情報公開制度が整備されるなど、国民に開かれた行政を実現するための環境は改善の傾向にある。

議会による決定の過程を国民・住民に知らせるため、議員が積極的な情報発信に努めることが望まれる。精力的に報告会を開催する議員も多いが、参加できる人の数は限定的であるし、集まる顔ぶれはいつも同じであることが多い。地方議会はメディアによる報道が少ない分、ほとんどの自治体で住民向けの広報活動が拡大されてきている。議会広報紙の紙面をカラー化したり、文字サイズを大きくするなど、より親しめる紙面づくりを進めるほか、インターネットを使った情報発信を充実させる地方議会も増加している。

国民・住民の代表としての国会議員や地方議員、また自治体の長は選挙で選ばれる。その投票率が年々低下している。

戦後に行われた選挙で比較すると、衆議院議員選挙の投票率は、最も高いのが昭和28年の76・43%であったのに対し、最新の平成29年は53・68%であった。参議院議員選挙では、最も高いのが昭和55年の75・54%であったのに対し、最新の平成28年は54・69%であった。

地方は投票率の低下がより顕著で、統一地方選挙における投票率の最高値と最新値はそれぞれ、知事選挙が82・58%と47・14%、都道府県議会議員選挙が82・99%と45・05%、市区町村長選挙が90・14%と50・02%、市区町村議会議員選挙が91・02%と47・33%である。

各選挙の投票率の最低値は、いずれも最新の平成27年の数値である。棄権した理由として「選挙にあまり関心がなかったから」「仕事があったから」「適当な候補者も政党もなかったから」といった回答が多い（総務省選挙部「目で見る投票率」）。

選挙を戦うためにはまとまった資金が必要であり、落選した場合には生活への影響も大きい。そのような理由から、立候補には非常に高い壁が立ちはだかっている。家族や親族に政治経験者がいる人、現職の政治家から後継指名を受けた人、政治家の秘書を経験したことがある人が、集金力、実務経験、知名度などで優位に立つ。投票率が低ければ、こうした人たちはなおさら有利となる。

民主制の下で権力者がその座にあり続けるためには、選挙に勝利しなければならない。選挙に勝利するためには有権者から選択されなければならず、選択されるためには有権者がプラスに評価する施策を示し、支持を得なければならない。また公正に努めることを約束し、少しでも疑いが生じているのであれば潔白であることの説明責任を果たさなければならない。

現在の選挙制度には大きな欠陥があり、候補者や当選者は固定される傾向が強まっていると感じられる。よほど強い支持基盤を持たない限り、個人の資質・能力よりも所属政党で大部分の候補者の当落は決まる。政党内では異論を発しにくい雰囲気が生じ、国民の多様な声が政治に反映するのが難しくなる。

その結果、権力が一か所に集中し、権力を守るための本末転倒の政治が行われ、公正とは逆に権力者とその取り巻きの間で果実を分け合う縁故主義がはびこることになる。公務員に全体の奉仕者としての自覚がなければ、権力者に忖度して行政をねじ曲げることにもつながる。

理想的な住民自治の下では、行政機関やそこに配置される公務員へのチェック機能を政治家が働かせ、代表者にあるまじき振る舞いが常態化している政治家がいれば、選挙や他の制度によって排除されるはずだ。正義に裏づけられた緊張感が保たれることにより、公平さを尊重する民主的な価値観が社会に浸透し、住民の良識が反映した制度が構築され、適正に運用されるだろう。

理想的な団体自治の下では、それぞれの自治体が権限と財源を確保し、中央政府と自治体の関係が建前ではなく真に対等なものとして構築されることになる。各自治体で自主的・自立的な行政運営による特色ある地域づくりが行われ、自治体間における健全な競争によって国全体に活力が充満することが期待されよう。

残念ながら現在の日本における地方自治は、住民自治も団体自治も理想的な姿をしているとは言えない。そのようになってしまった原因は、複雑に入り組んだ事情があるからと考えられる。決して行政や政治だけに責任があるのではなく、例えば首都圏への異常な人口の集中のように、無数の個人のエネルギーが同じ方向を目指したことによる影響も見過ごせない。

パトリズムの立場から、住民自治と団体自治を修復するための方法を検討していく。

◆第2節　補完性の原理

第九十九代内閣総理大臣の菅義偉が就任時に表明した「自助・共助・公助」という理念が話題になった。この理念は彼が自民党総裁選の時から掲げていたもので「そのとおりで当たり前のことだ」と評価する意見がある一方「自助が最初に来るのは、政府の役割を放棄しているようなものだ」と批判の声もある。

しかし個人において自助が最初に来るのは当然のことではないか。もちろん心身が健康な成年や、必要なサービスに対価を支払える経済力を持った人の、平時の生活を前提にした場合だ。自らの健康、所有物や貯蓄、社会的な評価などは、まず自らの努力によって得るものであって、他者から恵まれるのが当たり前ではない。

幼児や高齢者、障害者などの社会的弱者は、自分の力だけで生活することは困難だ。そこで家族や親類、また隣人や地域社会などが、社会的弱者が持つハンディキャップを補うために支援する。書面での契約から始まる関係ではなく顔が見える関係から始まるため、支援を受ける側にも安らぎが生まれる。これが共助である。

自助はもちろん共助にも限界がある。そのような場合、行政機関が定めた制度などを利用してハンディキャップを埋める方法がある。これらの制度は公費によって運用されるため、公平な運用が大原則であり、利用のための要件が設けられたり、利用者へ生活上の制限が課せられたりすることがある。これが公助である。

自助・共助・公助の理念は単純で、まず自分でできることは自分で行い、自分の力だけでできないことは家族で行い、家族でできないことは地域コミュニティーの力を借りて行い、地域コミュニティーの力を借りてもできないことは行政の支援を受けて行うことである。行政の支援を制度として確立させたものが、社会的共通資本のうちの制度資本であると言えよう。

物事の決定をできる限り小さい単位で行い、できないことのみをより大きい単位の集団で補完していく概念を「補完性の原理」という。補完性の原理はローマ教皇レオ十三世が1891年に発した回勅『レールム・ノヴァールム（新しき事柄について）』に起源がある。この回勅は資本主義と社会主義の双方に批判的で、後にカトリック社会教説へと発展した。

補完性の原理の根本には個人の尊厳がある。政府による統制でも個人の自由放任でもない、中道的な政府を理想とするものだ。人と人とは対等な関係にあると捉えるのが原則であるし、その延長線上に自治体と中央政府における同様の関係もあると考える。

ヨーロッパ評議会の閣僚委員会が1985年に採択し、88年に発効した「ヨーロッパ地方自治憲章」は、自治体の全権限性や自主財政権などとともに、補完性の原理を民主主義の基礎と位置づけている。また地方自治の強化を目指す国際地方自治体連合は、ヨーロッパ地方自治憲章の理念や諸原則は世界の全ての国で採用されるべきとの考えに基づき、ヨーロッパ以外の国の実状を考慮した上で、同じ年に「世界地方自治宣言」を採択した。ドイツ、ロシア、ポーランド、スロヴァキアなど少なくない国が、補完性の原理に基づく自治体運営を憲法に規定している。

一方で日本の地方自治はどうか。日本国憲法には第九十二条から第九十五条まで地方自治の章が設けられている。第九十二条は「地方公共団体の組織及び運営に関する事項は、地方自治の本旨に基いて、法律でこれを定める」という条文だ。そのまま読めば、自治体の組織と運営に関して自治体が条例で定めることを認めず、全国一律で法律によって定めることと理解される。つまり日本は補完性の原理を採用していないことを意味する。

先進国や新興国が補完性の原理に基づいて地方自治制度を設計している理由は、民主主義を進展させる効果ばかりでなく、国家や社会を強化させる効果も期待されるからである。国と地方の関係にしても大都市制度の問題にしても、補完性の原理ではなく利権や因習にとらわれ続けているのが現在の日本である。国家や社会が疲弊していくのは当然の結果と言えるかもしれない。

◆第3節　地域コミュニティー

社会生活を送る上で、個人ごとあるいは家族ごとに取り組んだのでは効率が悪い地域課題は、住民によって形成される共同体によって集団で処理されるのが望ましい。そうした共同体は町内会、自治会あるいは町会などと呼ばれるが、その内容に大きな違いはない。昨今はこうした団体を一括して「地域コミュニティー」と称する。

地域コミュニティーの基本的な性格は五つあるとされる。①一定の地域区画を持ち、その区画が相互に重なり合わないこと、②世帯を単位として構成されること、③原則として全世帯（戸）加入の考え方に立つこと、④地域の諸課題に包括的に関与すること、⑤それらの結果として、行政や外部の第三者に対し地域を代表する組織となることである。

地域コミュニティーの歴史的な形成過程には、主に二つの捉え方があるとされる。一つは住民の統制や管理を目的とし、国家や行政の機能の一端を担うために上から作られたという捉え方、もう一つは住民の必要に基づく共同の関係を基礎として自然発生したという捉え方である。どちらか一方の過程しか経験したことのない団体よりも、大なり小なり両方の過程を経験した団体の方が多いのではないか。

地域コミュニティーの組織や運営に関する法令等はない（地域自治区や認可地縁団体といった、地域コミュニティーを母体とする団体の制度はある）。地域コミュニティーは任意の団体としての位置づけにあり、原則として加入するかしないかはそれぞれの世帯が判断する。また地域コミュニティーは行政の管轄下に置かれるわけではなく、行政から活動を強制されることはない。住民が自主的に設立したとの名目であるから、地域コミュニティー内で会員が行動を制限されたり強制されたりすることもない。ただし法的拘束力がないとは言っても、行政から要請のあった活動への参加を拒めないケースは生じ得る。

地域コミュニティーが担う主な役割は、以下のようなものが考えられる。まずは基本的な業務として、住民が相互に理解を深めるための交流活動、ごみ集積所の清掃管理、ごみ拾いや花壇整備などの環境美化、防犯・防火・交通安全思想の普及啓発、子供の健全育成や通学の見守り、自然災害を想定した防災・減災活動、文化・体育行事の企画運営などである。それらに加えて、農村であれば農業用排水路の管理、消防力が低い地域であれば消防団員の選出、寺社がある地域の中には総代の選出などの役割が課せられるケースもある。

それ以外にも公園や道路の清掃、橋梁や街路灯の点検、公有地の草刈りや歩道の雪かき、行政広報紙の配布など、行政の判断で地域コミュニティーに依頼するケースが増えている。市民団体等が行政に代わって地域課題の解決を担う「市民協働」という手法である。市民協働は補完性の原理に通じる意味でプラスに働くことが期待されるが、地域コミュニティーへの住民参加が低調になれば、特定の人たちに負担が偏る形で不公平が生じるマイナスも想定される。

地域コミュニティーへの住民参加の実態はどうだろうか。全国市議会議長会が令和2年度に行った調査によると、地域コミュニティーへの住民の加入率は、アンケート調査に回答した657市における平均で73・1%であった（全国市議会議長会「都市における自治会・町内会等に関する調査」)。また地域コミュニティー活動への参加頻度を年齢階層別に見ると、月一日程度以上と年数回程度の合計は、二十代の14・9%が最も低く、年代が上がるにつれて上昇し、七十代の64・1%が最も高くなっている(厚生労働省「平成27年版厚生労働白書」)。

地域コミュニティーの中身を分析するために、仙台市が平成27年に独自に行った調査を参考にしたい(全国的な調査は行われていない)。この調査によると、町内会長の年齢は七十代が最も多い46%で、六十代の30%、八十代の11%と続く。会長に就任してからの年数は、三年以上が半分以上の52%を占める。また町内会組織運営上の課題についての回答は「役員の高齢化や成り手不足」「役員を中心に特定の人に負担が集中」「会員の高齢化」の順に多い(仙台市まちづくり政策局政策企画部政策企画課「仙台市町内会等実態調査報告書」)。

この調査結果から、会長をはじめ役員の高齢化と担い手不足の問題が深刻化しつつある現状が見てとれる。地域によって差はあるだろうが、全国的に同様の傾向があると考えられよう。

地域コミュニティーに対してよくないイメージを持つ人も増えているようだ。インターネットの主要検索サービスで「町内会」と入力すると、続いて「入りたくない」「やめる」「払わない」「いらない」など反感に近い言葉が上位に表示される。仙台市による調査では、町内会の解散・空白地域の方が、現存する地域より「住み続けたい」と答えた人の割合が高い結果も出ている。これからますます地域コミュニティーを歓迎しない人が増えることが予想される。

地域コミュニティーの崩壊は共助の崩壊を意味すると言って過言ではない。営利企業や市民団体、友人関係、狭い範囲の近所付き合いは、地域コミュニティーの五つの基本的性格を全て備えてはおらず、既存の地域コミュニティーに代わって共助を機能させることは不可能だ。共助が崩壊すれば、個人と家族が膨大な地域課題に自助努力を求められ、これまで地域住民に頼ってきた様々な事務を公費で処理することで財政が悪化することも考えられる。

確かに地域コミュニティーの側にも様々な問題があるだろう。しかし問題を改善するための民主的な手続は、それぞれの規約等に定められている。会員として会費を納めることは、その手続に主体的に関与する機会を与えられていることでもある。地域コミュニティーの制度を変えることは、国や自治体の制度を変えるよりもはるかに簡単だ。

「地方自治は民主主義の学校」と言われるが、**地域コミュニティーは民主主義を実践できる最も身近なトレーニング場**である。最小単位の共同体すら変えられないようでは、国を変えることなど夢のまた夢である。

◆第4節　自治体と中央政府

日本の統治機構は中央政府、広域自治体、基礎自治体の三層構造である。広域自治体と基礎自治体は正式には地方公共団体と称するが、地方自治体または自治体と呼ばれることが多い。その性質は法的強制力を備える行政執行機関である。

三層それぞれが法に基づく権限を有し、その権限は原則として他の層と重複することはないが、例外があるために弊害が生じているとの指摘もある。

まずは地方と中央との間で権限の綱引きが行われてきた経過を振り返っておきたい。

江戸時代の幕藩体制は一般的に中央集権的であったと捉えられている。しかし実際に幕府が有していた権限は軍事や大規模公共工事など一部の分野に限られ、各藩の藩主には幕府が定めた権限以外の分野で、自治的に藩を治める裁量が認められていた。それぞれの藩の藩主は、地域の実状に合わせて産業振興政策を指揮し、各藩は「小王国」とも言える特色ある発展を遂げた。地方分権的な要素も含む統治機構であったと言える。

ところが明治新政府は、天皇を頂点に置く強力な中央集権体制を築いた。明治4年に藩を廃止して新たに3府（東京・京都・大阪）３０２県を設置し、各府県に管内の行政事務全般を司る知事を置いた。府県は自治体ではなく地方官庁であり、知事は選挙によって選ばれるのではなく、内務大臣に任命されて中央政府から下向する職であった。なお、その後全国的に県の合併・分割などが進み、現在とほぼ同じ1道3府43県となったのは明治33年のことである。

明治22年に市町村制が始まった。市町村に独立の法人格を認め、中央から委任された事務などを処理するものとして、条例・規則の制定権が付与された。市長は市会（市議会）から推薦のあった者の中から内務大臣が選任し、町村長は町村会（町村議会）における選挙で選ばれることとなった。

明治24年に府県制が始まった。これによって府県は国の行政機関から地方公共団体へと位置づけが変わり、完全ではないものの自治が認められた。さらに同32年の府県制改正で府県に法人格が認められた。

大正15年には府県制・市制・町村制がそれぞれ改正され、市長を市会による選挙での選任とし、町村長の選任時に必要とされていた府県知事による認可を廃止した。大正から昭和初期にかけて地方自治は一層充実されていくが、第二次世界大戦の当事国となってからは、戦時体制へと移行する中で縮小に向かう。特に昭和18年の府県制・市制・町村制の改正で、市長は市会が推薦し内務大臣が選任、町村長は町村会において選挙し府県知事が認可するものと改められた。また同じ年、東京市を廃止して特別区に再編し、東京府は東京都へ移行した。以後、1都1道2府43県の都道府県制が現在まで続いている。

昭和20年に終戦を迎え、明くる21年に日本国憲法が制定されると、日本の地方自治制度は大きく前進することになる。憲法に地方自治の章が設けられたことは、当時としては画期的であった。

都道府県知事と市町村長は公選となり、建前上は中央政府から自治体が切り離された。しかし地方官庁であった都道府県が中央から付与されていた権限は、自治体の裁量で変更することができない機関委任事務として残された。同22年に地方自治について定めた地方自治法が公布・施行された。

機関委任事務制度は平成3年の地方自治法改正により一部が見直され、同11年の改正で廃止された。自治体の事務は、自治体が自主的に行う自治事務と、中央から引き受ける法定受託事務に整理された。これは「地方分権一括法」に含まれる改正で、一括法にはほかに国または都道府県の関与のルールや、都道府県と市町村の新しい関係についての規定なども盛り込まれている。

地方分権一括法とは中央から地方、または都道府県から市町村への権限移譲や、自治体への義務づけの緩和等を行うための法整備で、平成26年に行われた提案募集方式の導入を経て、令和2年の時点で第十一次まで施行されている。

自治体の大規模な合併についても振り返っておきたい。日本では明治時代以降、基礎自治体を全国的に統合させる「大合併」が三回行われた。

一回目は明治21年に行われた「明治の大合併」である。市町村制が施行されるのに伴って教育、徴税、土木などの行政の目的に町村の単位を合わせるため、約三百から五百戸を標準規模とする町村合併が行われた。その結果、町村の数は約五分の一に減少した。

二回目は昭和28年から36年にかけて行われた「昭和の大合併」である。新制中学校の設置管理、消防、社会福祉、保健衛生などの新しい事務を能率的に処理するため、自治体の規模の合理化がすすめられた。町村の人口はおおむね八千人以上を標準とし、町村の数は約三分の一に減少させることを目途とした。

三回目は平成11年から17年にかけて行われた「平成の大合併」である。人口減少や少子高齢化などの社会経済情勢の変化や、地方分権の担い手となる基礎自治体にふさわしい行財政基盤の確立を目的とし、合併特例債という有利な財源が措置されるなど、政府によって積極的に推進された。11年4月の時点で3229あった市町村の数を千まで減少させることが目標とされたが、18年3月の時点での1821と、目標には届かなかった。

その後、平成17年に合併新法が施行され、旧法で合併に至らなかった複数の自治体が合併を実現させたが、全国的なうねりとはならず、令和2年4月時点での市町村の数は1718（市792、町743、村183）である。

次に統治機構の現状と課題をかいつまんで説明する。基礎自治体には市町村と特別区（東京都の23区）があるが、特別区は市とほぼ同じ権限を有する単位として捉えてほしい。

市町村のうち法律で要件が規定されているのは市であり、人口五万以上、中心の市街地を形成している区域内に在る戸数が全戸数の六割以上、商工業その他の都市的業態に従事する者及びその者と同一世帯に属する者の数が全人口の六割以上などの要件がある。町の要件は各広域自治体が条例により規定している。村に関する要件はない。

市と町村との主な違いは、例えば市には福祉事務所の設置と、福祉事務所による生活保護の決定及び実施の義務が課せられることである。町村における福祉事務所の設置は任意であり、福祉事務所を設置しない町村は、広域自治体が設置する福祉事務所の所管区域となる。なお令和3年4月の時点で福祉事務所を設置している町村は、932町村のうち46町村である。

厳密には市にも階層がある。一般市、中核市、政令指定都市である。一般市が担う事務は多岐にわたるが、主なものとして生活保護、特別養護老人ホームの設置・運営、介護保険事業、国民健康保険事業、都市計画決定、市町村道・橋梁の建設・管理、上下水道の整備と管理・運営、義務教育学校の設置・管理、一般廃棄物の収集や処理、消防・救急活動、住民票や戸籍の交付などがある。

中核市は人口二十万人以上で、議会の議決を経るなどの要件を満たした一般市が、総務大臣から指定を受けて移行される。令和3年4月の時点における中核市の数は62である。中核市は一般市の事務に加えて保健所の設置、特別養護老人ホームの設置認可・監督、身体障害者手帳の交付、広域自治体が有する処分（許可や認可等）と命令などの権限を移譲される。移譲される事務の詳細は広域自治体の条例によって定められる。

政令指定都市は、政令で指定する人口五十万以上の市という要件が法律で定められている。令和3年4月の時点における政令指定都市の数は20である。政令指定都市は中核市の事務に加えて児童相談所の設置、市街地開発事業の認可、市内の指定区間外の国道や県道の管理、県費負担教職員の任免・給与の決定などの事務を担う。

政令指定都市は広域自治体とほぼ同じ権限を有するため、より住民の実状に沿った行政運営を行えるメリットがある。一方、広域自治体との連携が乱れれば「県の中に県がある」二重行政のデメリットが生じる。特に大阪府と大阪市の関係は「府と市を合わせて不幸せ」と言われ、長く問題視されてきた。大阪市を廃止し、いくつかの特別区に再編する「大阪都構想」が議論されたが、平成27年と令和2年に行われた住民投票でいずれも反対が賛成を上回り、東京都に次ぐ二例目の都制移行は実現しなかった。

広域自治体には都道府県がある。東京都は上下水道、消防、大規模な都市計画など、通常は市が行う事務のうち例外的に処理する事務がある点で、道府県とは異なる。

都道府県が担う主な事務として一級河川・二級河川の管理、義務教育学校に係る学級編制基準・

教職員定数の決定、私立学校・市町村（政令指定都市を除く）立学校の設置許可、高等学校の設置・管理、警察（犯罪捜査・運転免許等）、都市計画区域の指定のほか、規模や性質において市町村が処理することが適当ではないと認められる事務などがある。

令和元年度の推計では、東京都の人口が１３９２万人であるのに対し鳥取県の人口は56万人である。また平成27年度の国勢調査によると、一平方キロメートル当たりの人口は東京都が６１６９人であるのに対し、北海道は69人である（総務省統計局「日本の統計２０２１」）。都道府県ごとに人口や人口密度の差が広がり、気候風土も北と南ではまるで別世界であることから、全国一律に設けられる種々の規制が地域の発展を阻害しているのではないかという意見がある。

広域的な施策に対するニーズの高まりや、広域化する行政課題への的確な対応が期待される中で、複数の自治体の事務の一部を共同で処理する一部事務組合や、国や広域自治体から直接に権限移譲を受けることができる広域連合など、広域連携による行政運営が全国的に進められている。一部事務組合が処理する事務の上位はごみ処理、し尿処理、救急、消防などであり、広域連合は後期高齢者医療、介護区分認定審査、障害区分認定審査などである。

共同で事務を処理することでスケールメリットが生じ、単独で処理するよりも経費を低く抑えることができるが、圏域内で利害関係のある問題は処理能力が著しく下がることがある。そもそも必要な事務を単独で処理できないのであれば、周辺自治体と合併して住民の利便性を総合的に向上させるべきではないだろうか。

中央政府の行政機関は令和3年4月の時点で、内閣の下に内閣官房、内閣法制局、内閣府、十一省及び復興庁が置かれる組織体制である。内閣官房は内閣の補助機関であるとともに、長である内閣総理大臣を直接に補佐・支援する。内閣総理大臣の下に内閣官房長官を置き、内閣官房長官の下に三人の内閣官房副長官と内閣人事局長を置く。官房副長官の下に国家安全保障局長、内閣危機管理監、内閣情報通信政策監などを置く。内閣総理大臣補佐官は五人以内とされ、特定の重要政策の企画・立案を行う。

内閣府には内閣総理大臣、内閣官房長官のほか、内閣の重要政策に関する企画・立案を行うため、十人の特命担当大臣が置かれている。特命大臣には各省大臣を兼務する者もいる。さらにその下に副大臣、事務次官、大臣官房、政策統括官などが置かれる。

各省は内閣直属の行政機関のうち最上位の機関である。省には大臣、副大臣、大臣政務官、事務次官などが置かれ、特別の機関や外局などが設置される。各省や外局のうち複数が、地方に出先機関を設置する。出先機関は管轄区域における許認可、申請・交付、指揮・監督・指導、調査、調整、相談、財産の管理などの業務を行う。

これらの出先機関の中で、国家としての存立に直接関わる事務や、全国的視点に立って処理されなければならない事務は、今後も中央に権限を残す方向で差し支えないだろう。しかしそれ以外の事務には、中央から地方へ権限を移した方がよいと考えられるものも少なくない。決定をできる限り小さい単位で行う**補完性の原理に基づき、中央から地方へ役割分担を見直すべき**だ。

◆第5節　教育現場の自治的活動

一般職の公務員は試験に合格して採用されるのに対し、首長や議員などの政治家は資質・能力を見極めるための試験が課せられず、選挙で当選さえすれば一定の期間その地位を預けられる。選挙の立候補者の中には、当選後の即戦力をアピールする者も見られるが、単に行政の経験や会社経営の経験があるようなケースがほとんどで、住民自治や団体自治の実践的経験を積んだ人はそう多くない。

日本の学校教育には、自治的活動を訓練するための教育課程が組まれているのだろうか。教育課程を編成する際の基準を定めた学習指導要領（小・中学校：平成29年、高等学校：平成30年告示）から、学校の種類ごとに一部を抜き出す。

小学校

・学級活動における児童の自発的、自治的な活動を中心として、各活動と学校行事を相互に関連付けながら、個々の児童についての理解を深め、教師と児童、児童相互の信頼関係を育み、学級経営の充実を図ること

・学級活動、児童会活動及びクラブ活動の指導については、指導内容の特質に応じて、教師の適切な指導の下に、児童の自発的、自治的な活動が効果的に展開されるようにすること

中学校

・学級活動における生徒の自発的、自治的な活動を中心として、各活動と学校行事を相互に関連付けながら、個々の生徒についての理解を深め、教師と生徒、生徒相互の信頼関係を育み、学級経営の充実を図ること

・学級活動及び生徒会活動の指導については、指導内容の特質に応じて、教師の適切な指導の下に、生徒の自発的、自治的な活動が効果的に展開されるようにすること

高等学校

・ホームルーム活動における生徒の自発的、自治的な活動を中心として、各活動と学校行事を相

互に関連付けながら、個々の生徒についての理解を深め、教師と生徒、生徒相互の信頼関係を育み、ホームルーム経営の充実を図ること

・ホームルーム活動及び生徒会活動の指導については、指導内容の特質に応じて、教師の適切な指導の下に、生徒の自発的、自治的な活動が効果的に展開されるようにすること

児童を生徒に、学級活動をホームルーム活動に言い換えている部分以外は、小・中・高等学校とも同じ文章である。しかも「児童生徒の声を学校運営に反映させましょう」という原則をうたっているに過ぎず、具体的な実践の内容は示されていない。学校の段階が上がるに従って、民主主義の発展には自治意識が必要であることを理解させるため、社会科の項目に自治意識の涵養に向けた指導が出現する。しかしやはり実践のための方法は、現場の裁量に委ねられている。

地方自治の本旨は住民自治と団体自治の二つの要素からなる。小学生でも分かる言葉で表すなら「自分たちで・自分たちのことを決める」のが地方自治だ。学校は本来、多様な人格や個性を持った個人が集まる空間であり、自治の担い手たる社会人を育てるために「自分たちで・自分たちのことを決める」訓練をさせるには絶好の場だろう。ここで言う自分たちとは紛れもなく学校のことであり、学校自治も住民（生徒）自治と団体自治の二本柱を本旨とするべきである。

校則や生徒心得といった生活規範、学校行事、課外活動など、学校のことを民主的な手続によっ

て決める実践の機会を教育課程に設けることが必要ではないか。

令和3年6月8日、文部科学省から各都道府県教育委員会などに宛てて「校則の見直し等に関する取組事例について」という文書が通知された。校則の内容は絶えず積極的に見直さなければならないとの見解を示し、各教育委員会や学校等に、学校や地域の実態に応じて校則の見直し等に取り組むよう要請する内容である。頭髪や下着の色などを定めた校則を疑問視する報道があったため、こうした通知が出されたようだ。

この通知は、校則を自分のものとして捉え、自主的に守るように指導を行っていくことが重要との考えを示す。校則は上から与えられるものであるとの考え方が前提にある。自主的に意見を述べるというなら理解できるが、守るとするなら自主的ではなく盲目的な方向へ進むだろう。

通知の別添資料には、高等学校における校則見直し等の取組事例として、見直しが必要な事項について意見を聴取し、それを踏まえて校則を改定することが示されている。しかし実際に児童生徒の意見が反映されているかどうか、文科省も各教育委員会も調査を行ったことがない。少なくとも児童生徒が、校則の見直し等に自分たちの意見が反映されていると感じているかどうか、把握することが必要ではないか。

国立青少年教育振興機構は、日米中韓の4か国の高校生を対象に、高校生の社会参加に関する意識調査を実施し、令和3年6月にその報告書を公表した。「学校の校則は生徒の意見を反映しているか」という問いに対し「反映している」と答えた割合は、中国49・1％、韓国33・0％、アメリカ32・8％、日本16・6％と、日本の数字は極端に低い。逆に「反映していない」は日本の32・1％が最も高い。この調査報告から、**文部科学省による現状認識は、生徒たちの感覚と大きく乖離している**ことが読み取れるのである。

校則を定めてはいても、そこに改正の手続まで明文化している学校はほとんどないのが現状だ。これは一般社会であれば異常なことである。憲法には条文の改正や法律の制定について規定がある。地方自治法には条例の制定・改廃の規定がある。任意団体である地域コミュニティーでさえ、どんなに簡素な手続であっても規約に改正等の規定を設けている。学校の校則だけが、そこに所属する生徒が手を加えることを想定していない。

明文化してはいなくても、内部文書として改正の手続を定めている学校は多いと思われる。生徒や保護者などの関与も認められているはずだ。ではなぜ、誰もが可視化できる状態にしておかないのか。それ以前に、意見を反映させるプロセスだけで、学校という共同体の自治に参画していると言えるのだろうか。

規範性文書の制定や改廃を進める際、発議に向けた検討、規範が及ぶ対象からの意見聴取、議案の作成、代表者による発議、質疑と答弁、専門的な視点による調査、賛同を募るため可否双方の立場からの演説、可否を決める採決など、本来は非常に多くの手続が踏まれるべきだ。もっとも地域コミュニティーのように小さい団体であれば、役員会で検討し総会で決定するだけの簡単なステップで議決されることも珍しくはない。

「自分たちで・自分たちのことを決める」ための実践的経験を積んだ人であれば、本当の意味で政治家としての即戦力を期待できるだろう。学校における自治的活動は、そのような真っ当な政治家を育てる目的でも推進されるべきだ。

学校における自治的活動は、校則の改正に限ったことではない。ドイツやスウェーデンなどヨーロッパ諸国の学校には、意思決定機関である学校協議会や学校評議会が置かれている。これを構成するのは校長、教員、保護者、弁護士などの専門家、そして生徒代表であるという。ドイツでは中学校から生徒代表を参加させていて、小学校でルールの決定、中学校で学校の予算や成績の基準、高等学校では生徒の退学から教員の採用まで、生徒代表を意思決定プロセスに関与させている（高橋亮平「ドイツやスウェーデンを見習い日本の主権者教育も自治と参画を合わせた『新しい生徒会』を柱にすべき」）。

よその国のことながら、そのような分野にまで生徒を関与させて大丈夫なのかと不安になるが、当然生徒だけの判断で決定されるわけではない。教員や保護者が同席する中で、生徒代表も自らの発言に責任を持たなければならない。代表の選出にも生徒全員が責任を持つことになるため、多くの生徒が学校自治へ参画している自覚を強く持つと期待される。

このように義務教育段階から自治と民主主義を実践的に訓練してきた人と、教員が望む方向に進まされることを自主的と言い換える国で育った人とでは、外交であれビジネスであれ、対等に議論できるはずがないではないか。**愛国心教育やICT教育の推進、英語教育の年齢引下げよりも、もっと重要なことがある**はずだ。

◆第6節　自治のために何を実践すべきか

実践的郷土愛、パトリズムの立場から、自治をよりよいものにするために私たちは何をすべきであるのか。これまでは代表民主制の下、首長や議員たちに共同体の統治を委ねてきた。しかしこれからは、自治の基本理念である補完性の原理に基づき、民主的な手続によって制度の構築や運営に関わっていく姿勢が個々の住民に求められる。

投票で選んだ後は関心も抱かずにいるのは、全てを承認しているのに等しい危険な態度だ。無関心が住民不在の政治をもたらし、住民不在の政治が政治不信をもたらし、政治不信が無関心をもたらし…と続く悪循環をどこかで断ち切らなければ、中央にも地方にも政治の腐敗が蔓延し、人が人として生きる活力が吸い尽くされてしまう。

この悪循環を断ち切るためには、どこかにメスを入れなければならない。どこに入れることから始められるだろうか。住民として主体的に変えられるのは無関心という姿勢の部分しかない。**政治家や公務員に任せておけば誠実に処理するだろうとの思い込みを捨て、住民が当事者として実践的に関わらなければならない**。考えてみれば当たり前のことである。このことが常識として定着すれば、何重にも巻き付けられた悪循環の縄から日本は解放されるだろう。

住民として真っ先に関われる場は、最も身近にある地域コミュニティーだ。もちろん団体によって特色や意識の差はあるが、感心するくらい様々なことが取り組まれている。阪神・淡路大震災以降は、特に防災・減災活動に精力的に取り組む団体が増えている。行事等に参加した経験がなく、近隣住民との交流に積極的でない人であっても、防災訓練など防災・減災活動への参加は歓迎されるだろう。

大規模な災害が発生すると、公的な防災関係機関の活動能力は著しく低下する。実際に阪神・淡路大震災では、家屋の倒壊による生き埋めや建物などに閉じ込められた人のうち、消防などの公的機関に助けられたのはわずか1・7％で、約95％は自力または家族や隣人に救助された（日本火災学会「兵庫県南部地震における火災に関する調査報告書」）。こうしたこともあって阪神・淡路大震災を機に、自主防災組織の設立は全国で進んだ。

自主防災組織は、災害対策基本法に「住民の隣保協同の精神に基づく自発的な防災組織」として明記されている。多くの場合、自主防災組織は地域コミュニティー単位で結成される。令和2年4月時点における自主防災組織活動カバー率（活動範囲としている地域の世帯数／管内世帯数）は全国で84・3％、カバー率が最も高いのは兵庫県で97・7％である（総務省消防庁「令和2年版 消防白書」）。

自主防災組織はそれぞれ自主的に、非常食や飲料水、乾電池やカセットボンベなどの消耗品、簡易トイレ、発電機、調理器具、さらにチェーンソーなどの資機材を保有・管理している。新型コロナの感染拡大以降はマスクや消毒用アルコールなどを備蓄に加える組織も多い。自主防災組織を持つ地域コミュニティーとのつながりは、大規模災害が発生した際の安心材料の一つになるだろう。

地域コミュニティーは会員から徴収した会費によって運営されている。そして通常は総会によって事業計画や予算が議決される。地域コミュニティーの一員であれば、必ず総会資料に目を通し、積極的に総会に出席し、場合によっては疑問点などを執行部にただしていきたい。

地域コミュニティーは防災用資機材のほかにも、集会所、公園、ごみ集積所などコミュニティー施設の管理を行うケースが多い。これらは行政が設置したり、設置のための補助を行ったりするものだが、維持管理までとなると多額の費用がかかる。そこで自治体は、日常それらを使用している地域の共同体に維持管理を委ねる判断をするのである。維持管理に専門的な知識や技術を必要としない公共的施設は、補完性の原理に則り、地域コミュニティーが積極的に引き受けるべきだ。

市民協働は市民活動団体やNPO法人などを巻き込み、国際交流や自然環境保全をはじめ幅広い分野で進められている。これらの団体には、規定に基づき交付金や補助金が支給される場合が多い。期間内に事業計画書等を提出して申請を行い、審査を通過し、事業終了後に報告書等を提出することで、受け取れる仕組みだ。地域コミュニティーの役割が増えるのであれば、任意団体との位置づけを見直し、自治体からの補助対象としなければならない。

隣人との関係づくりは自治の基本である。自治の最小単位である地域コミュニティーこそ、その人にとっての郷土である。生まれ故郷が別にあったとしても構わない。

多くの住民にとって郷土を守る実践的取組みが当たり前になれば、行政はより高度な事務に専念することができる。**誰にでもできる雑用をいつまでも公務員にさせるようでは、住民も行政もそれ以上成長することはない**だろう。

自治体と中央政府はどうあるべきか。

まずは基礎自治体について検討する。基礎自治体の適正な規模は人口二十万人とも五十万人とも言われているが、定説はない。適正規模の規定要因として効率性、民主性、機能、一体性、重層性の五つを挙げる考え方もあるようだ。

パトリズムの立場は自立を最も重視する。人が生命を維持するために欠かせない食料の供給において、基礎自治体は他に依存しないのが望ましい。よって基礎自治体の適正規模の要件には、地域内で日々の食料を自給できることを含むべきと考える。しかし現状では、大部分の基礎自治体がこの要件を満たすことができない。もし自給自足が可能な地域があったとしても、村より小さい集落レベルだろう。それでは食料以外の面で自立できない。よってこの要件は将来的な目標として保留し、当面は生命や財産を守る消防及び救急救命体制を組織できることを要件としたい。

基礎自治体が処理する事務は、従来の役割分担を土台としつつ、本書がこれまで検討してきた資源と文化の保護が新たに加えられる。まず資源として、地域コミュニティーが維持管理する集会所などのコミュニティー施設は、原則的に基礎自治体が建設と修繕を担うべきである。また図書館や文化・スポーツ施設など、区域内の住民の利用が想定される公共施設は、基礎自治体が管理・運営の責任を負うものとし、施設の特性に応じて民間委託や指定管理を行うことを認めることとする。

ほかに自然環境や生態系の保全のための監視、技能の保護、無形民俗文化財の担い手の育成や景観とまちづくりなどへの支援は、基礎自治体の役割となる。

広域自治体は、中央と基礎自治体をつなぐパイプ役のような存在である現状から、地域の独自性を発揮できる強靭な統治の主体へと再編統合することが課題であり、その上で中央政府からの抜本的な権限・財源の移譲を実現しなければならない。

こうした構想はこれまで「道州制」と呼ばれ、議論されてきた。第一次安倍内閣は道州制担当大臣を置き、道州制の制度設計を担う道州制ビジョン懇談会は、２０１８年までに日本は道州制に完全移行すべきとの提言をまとめた。地方分権一括法の施行から、さらなる分権化、地方自治の充実へ舵を切ったのであった。民主党政権は道州制移行へ積極的ではなく、みんなの党やおおさか維新の会などの新興勢力が、道州制議論を牽引した。

しかし、民主党からの政権奪還により発足した第二次安倍内閣以降「アベノミクス三本の矢」が示すように経済の好循環が最重点課題とされ、道州制の議論は低調となった。道州制への移行に積極的だったみんなの党は代表の辞任などを経て解党し、維新の会は大阪都構想を問う住民投票に二度敗れてから、統治機構改革の旗印が消えかかっているようにも見える。

地方が活力を取り戻すためばかりでなく、自然災害などにより首都機能が麻痺した場合に備えて、広域自治体の機能を大幅に強化する必要がある。パトリズムの立場から、次世代の広域自治体のイメージを膨らませたい。

広域自治体はその規模からも機能からも、地方政府と呼ぶにふさわしい統治能力を備えさせるべきだ。少なくともGDPベースで、中規模先進国に匹敵する経済規模を持たなければならない。ただし経済の大きさの前提となるのは自立である。経済的な自立とは、各種の産業がバランスよく内包される経済圏が形成されていることを意味する。農業だけでも商工業だけでも、もちろん金融だけでも自立とは言えない。例えば新型感染症を持ち込ませないため、域外との扉を全て閉めたとしても、住民が不自由なく生活していけるのが理想である。しかしこれも基礎自治体の要件と同様に、将来的な目標として保留せざるを得ない。この長期的な目標を念頭に置きながら、人口が二千万人規模の大きな塊へ、まずは都道府県を再編統合することから始めるべきだ。本書では再編後の広域自治体を「道州政府（道州）」または「州」と呼ぶ。

補完性の原理に基づき、これまで中央が処理してきた事務の大部分を道州政府に移さなければならない。州は中規模先進国と同じ程度の経済力を持つ。中央に置かれている財務省、厚生労働省、農林水産省、経済産業省、国土交通省、環境省を解体し、それらの出先機関を道州の組織に編入することで、日本国内には八つ程度の中規模国家が生まれる。文部科学省も廃止し、中央が支配する画一的な教育行政に幕を引き、道州ごとに教育担当部局を置く。文部科学省が処理している従来の事務は、地域の実状に応じて弾力的に運用するのが望ましい。【図1】

税に関しても抜本的な改革が必要である。国税と都道府県税を州税に一本化し、市町村税との二層構造にしてはどうか。もちろん課税対象や税額の計算方法などは、道州政府や市町村が独自に州法や条例で定める。中央政府は徴税権を有しつつも、実際は税の徴収を行わず、運営のための財源は各州が規定に基づき拠出金として負担する。財政調整や負担割合の考え方は、第六章で改めて検討する。

中央の権限の大部分が道州政府へ移譲されることで、業務の内容は都道府県行政だったときよりも増加する。仕事をなくす中央官僚は、道州が継続して任用できるよう調整することになる。地方官僚が増えることで東京一極集中が是正され、郷土の守り手が増加するプラスの副作用も期待される。当然彼らの処遇は、国家公務員のそれと同等に保障されなければならない。

道州が処理する事務は、現行の都道府県の権限に中央から移譲された権限を加え、さらに資源の保護が追加される。また、区域内の基礎自治体が管理・運営する公共施設は、原則として道州が建設と修繕を担うべきである。農地や水源地、山林など私的財に対しても、公共性の高さに鑑み、維持管理費の一部を道州が補助すべきだろう。

【図1】　権限移譲のイメージ

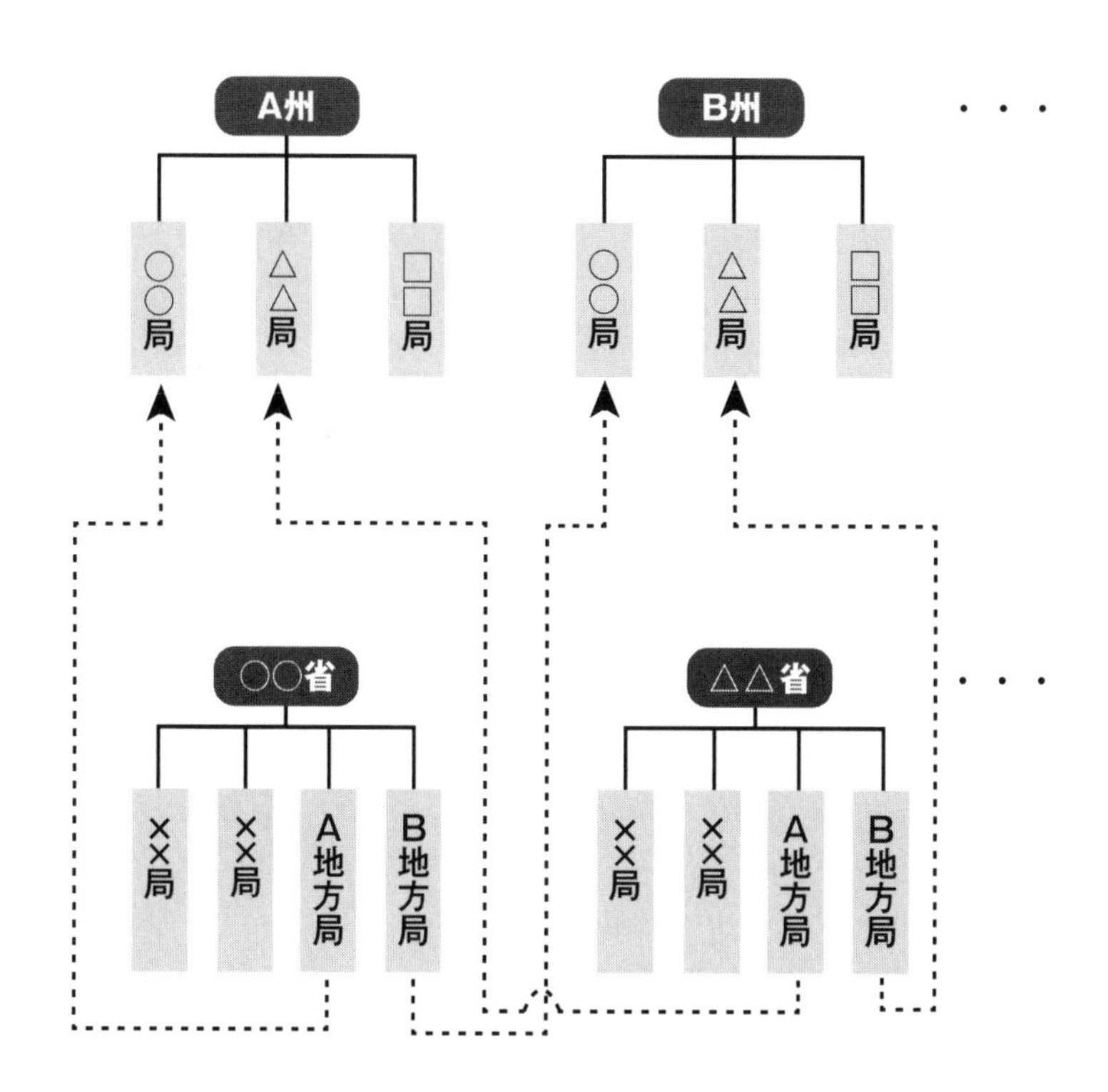

本格的な若年層減少時代を迎えるため、精強な人的防衛力を確保することも課題となっている。自衛官の応募者数は毎年減少傾向にあり、充足率の減少は一層進むと考えられる。道府県警察の再編に伴い、軍と警察を統合した「国家警察軍（日本版カラビニエリ）」を新設し、**陸海空に国家警察軍を加えた四軍体制へ移行**することも検討が必要だ。

中央政府は皇室、外交、安全保障、金融、マクロ経済など、中央でしか処理できない事務に権限を絞り、事務内容を大幅に縮小することになる。解体した七省が有していた権限は、原則として全て道州へと移譲される。しかし中央に残さざるを得ない事務もあるため、それらは新たな省に統合することが想定される。**【図2】**

国会議員はもちろん定数を削減する。税制の見直しにより地方の自主財源が確保されるため、地方官僚が国会議員や中央官僚へ陳情する必要がなくなるからだ。中央政府が扱う事務の量は七割程度削ることができるだろう。国会議員も同じ割合で定数削減を行うとすれば、衆議院議員定数は１４０、参議院議員定数は75程度となる。それでもまだ多い気はするが。

国会は国家全体が進むべき道を議論する場であり続けると同時に、道州間の利害を処理する重い役割が託される。そこで衆議院議員は国家の代表とし、参議院議員は道州の代表にしてはどうか。小選挙区比例代表制を継続するかはともかく、衆議院議員はこれまでと同様に全国を選挙区

【図2】

道州政府へ移される事務のイメージ

	国		都道府県	市町村
基本安全	皇室 外交 安全保障 通貨		警察 防災	消防 防災
生活環境	地球環境保全		公害防止 産業廃棄物	住民登録・戸籍 上水道 公害防止 一般廃棄物
福祉健康	医師・医薬品	健康保険 年金	児童福祉等 生活保護 地域保健 病院・薬局	介護保険 高齢者・障害者・児童福祉 生活保護 国民健康保険・年金 地域保健
教育		国立大学 私立公立 大学認可	私立学校認可 県立高等学校等 市町村立小中学校 教職員給与等負担	市町村立小中学校等
産業労働	金融政策 通商・関税	産業再生 業界指導 労働基準	中小企業対策 商店街振興 職業紹介 職業能力開発	中小企業対策 商店街振興 職業紹介
建設		国道（指定区間） 一級河川	国道（指定区間外） 県道 一級河川（指定区間） 二級河川 流域下水道 都市計画（区域区分） 建築確認	市町村道 準用河川 公共下水道 都市計画（地区計画等） 建築確認（特定行政庁）
農林水産	食糧需要	国有林	生産振興 農家経営支援 土地改良 農地転用 県有林 保安林指定・解除 治山事業	生産振興 団体営土地改良 農業委員会 市町村有林
国土交通通信	エネルギー 情報・通信	水資源開発 交通政策 放送	地域情報化	地域情報化

道州政府の事務へ（網掛け部分）

愛知県「分権時代における県の在り方検討委員会 中間とりまとめ（平成16年3月）」を参考に作成

に分けて総選挙を行い、参議院議員は国政選挙を廃止して各道州の道州議会議員から選挙する（選挙の方法は道州の裁量に委ねる）。参議院議員は道州議会議員の兼務とし、上乗せされる報酬はそれぞれの道州が額を決め、負担する。**【図3】**

住民として中央の事務はもちろん、自治体の事務であっても関われる機会はめったにない。そのめったにない貴重な機会の一つが投票であり、投票には必ず参加するようにしたい。それ以外に考えられる関わり方の一部を本章の最後に紹介する。いきなり関わろうとするよりも、まずは地域コミュニティーの活動に参加し、行政の仕組みや地域課題の実状などの知識を得た方が、自らの発言や行動に説得力を持たせられるだろう。より身近なことから始めるのがパトリズムの基本姿勢だ。

まずは被選挙権の行使である。国会議員や自治体の長は別として、成り手不足が進む地方議員であれば、高い志や行動力に加え、若さは投票してもらうための強力な武器である。旧来の常識にとらわれず、**地方行政に一石を投じようとするなら、投票する側ではなくされる側となり、代表者に選ばれることが最も有効な手段**であろう。立候補の要件や任期は法律で定められ、定数や報酬などは自治体ごとに条例で定められる。

地方議会は、行政機関に属さない機関の中でも特に強い権限を有する。自治体の長が提案した

【図3】　国会議員定数削減と参議院改革のイメージ

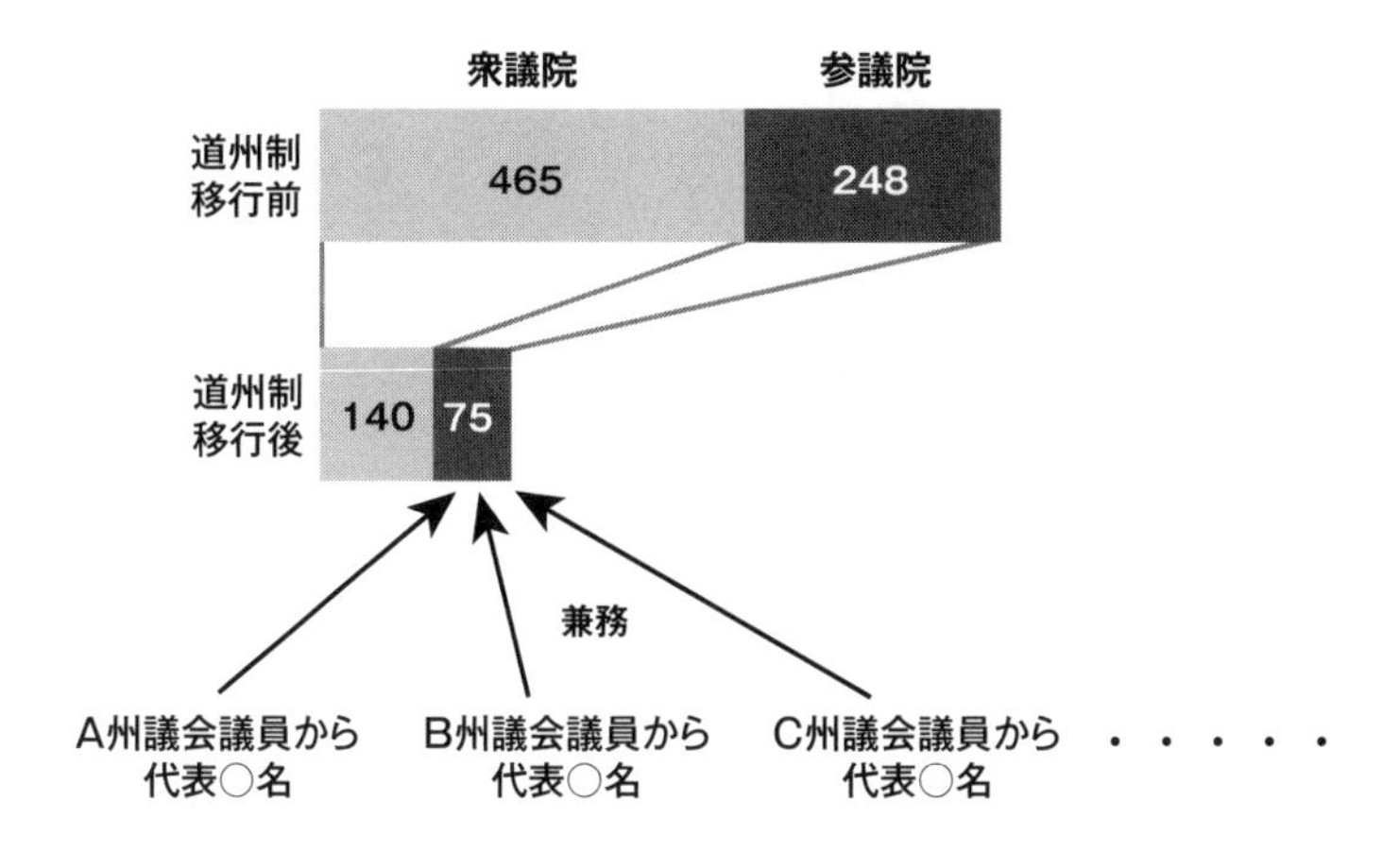

予算や条例は、議員の賛成多数によって成立するが、反対が多数となれば不成立となる。なお議会側の提案による条例の制定は、取組みの実績がない自治体の方が圧倒的に多いものの、少しずつ増えていることは事実だ。地方議員に選ばれたら住民の声を制度化する立法作業にも挑戦してほしい。

政治的中立性を必要とする行政を推進するために設置される行政委員会も、合議機関として大きな権限を持つ。行政委員会は、国や自治体の長から独立した地位や権限を有する合議制の機関である。

国に設置されるものには人事院、公正取引委員会、国家公安委員会、中央労働委員会、原子力規制委員会などがある。自治体に設置されるものには、基礎自治体と広域自治体の両方に設置義務が課せられるものとして教育委員会、選挙管理委員会、人事委員会（公平委員会）、監査委員が、基礎自治体にのみ設置義務が課せられるものとして農業委員会、固定資産評価審査委員会が、広域自治体にのみ設置義務が課せられるものとして公安委員会、労働委員会などがある。委員には専門的な知見や長年の実績が求められるが、教育委員会のように行政の民主化を確保するため住民の直接参加が推し進められているものもある。

また、市民や学識経験者などを委員として様々な行政分野について審議を行う各種機関がある。

自治体に設置されるものには、法律または条例に基づいて設置される自治紛争処理委員、審査会、審議会、調査会などの附属機関と、要綱等に基づいて市民からの意見聴取などを目的に設置される審議会等がある。行政委員会より種類も数も多く、自分自身の経験を生かせそうだと感じる機関もあるだろう。地域コミュニティーなどの活動を続けることは、こうした機関の委員に委嘱される機会を広げることにもつながる。

各種機関の委員に委嘱される以外にも、行政に関わる方法がある。行政に住民の意思を直接反映させる直接請求は、代表者が一定数の有権者の署名を集めることで成立する。条例の制定及び改廃の請求、事務の監査請求、議会の解散請求、議員の解職請求、首長の解職請求、主要公務員の解職請求がある。署名は選挙管理委員会によって厳しくチェックされ、悪質な不正があれば罰則が適用されることもあり得る。単なる要望の範囲の署名活動とは異なることに注意しなければならない。

議員の紹介を得られるのであれば、議会に対して請願をすることも可能だ。請願がされた議会には、これを受理し、採択・不採択の処置を決定し、誠実に処理する義務が生じる。採択されたからと言って拘束力を持つわけではないが、内閣にはその処理について国会に報告する義務が課せられ、自治体の長や委員会には処理の経過及び結果の報告を請求することができる。

個人として関わるなら、情報公開制度を利用する方法もある。行政の説明責任を全うする観点から、全ての人や法人等に、行政機関等が保有する文書の開示請求権が認められている。開示対象となるのは一般的に実施機関の職員が職務上作成または取得した文書で、手続や費用などは自治体が条例で定める。書面一枚を提出するだけで簡単に申請でき、閲覧のみであれば無料とする自治体がほとんどであるから、興味のある分野や疑問を感じる事務で積極的に利用していきたい。

目安箱などを独自に設置している自治体もある。いずれの方法も、住民が積極的に関わろうとすることで、自治の質は高まっていくだろう。大切なのは、資源や文化と同様に**自治もまた、実践によって適切に管理されるべき公共財である**との認識を広げていくことだ。

第5章

幸せを分け合う

享受から利他へ

地方も大都市も、ともに人間らしい生活が送れる状態につくりかえられてこそ、人びとは自分の住む町や村に誇りをもち、連帯と協調の地域社会を実現できる。日本中どこに住んでいても、同じ便益と発展の可能性を見出す限り、人びとの郷土愛は確乎たるものとして自らを支え、祖国・日本への限りない結びつきが育っていくに違いない。

田中角榮『日本列島改造論』

◆第1節　幸せをどう定義するか

これまでに人の生存に関わる資源、人の営みに活力をもたらす文化的資源、資源の管理主体である共同体と統治の在り方について、それぞれの現状と課題、それらを適切に管理するための実践方法を検討してきた。

資源は存在するだけでは、ただの物質や概念でしかない。資源を基に社会生活を維持向上させるのはほかならぬ人間であり、人間があって初めて資源は資源となる。それでは人間を社会生活の維持向上に駆り立てる要素は何か。おいしいものを食べたい、他者に認められたい、すてきな人と一緒に暮らしたい、将来の心配なく生きていきたい、といった様々な欲求や欲望こそが、その原動力と言える。欲求や欲望だと聞こえが悪いが、これを幸福感とすれば感じ方が変わるのではないか。

幸福感は人材という資源にとって、社会生活で能力を発揮するために必要な養分である。人が実感する幸福度を高めることを根幹に置かない開発や経済政策は、人の心を壊し、社会を壊し、資源の持続可能性を壊すことになる。

政治や行政において幸せがあまり議論されないのは、その捉え方が千差万別で、誰もがうなずける定義を見出すのが困難であるからだろう。幸せは内面の問題である。全く同じ境遇に置かれていても、幸せと感じる人と不幸に感じる人とがいるのが世の中だ。ある政治集団がもし「国民が幸せを感じるために○○を実行します」と訴えたとしたら、必ず「それは私にとって幸せなことではない」と反論が返ってくるはずだ。

そうした理由から、幸せという漠然とした表現は避け、経済成長率○%とか物価○%上昇など、数値化した目標を示して支持を訴える手法が多くとられている。しかし本来は目的であるはずの幸せという基本理念が抜けているから、施策の結果であるはずの経済成長や物価上昇といったものが、いつの間にか目的化している。

このような失敗はもう懲り懲りだ。**私たちは幸せについて、本気で議論を始めなければならない段階に来ている**のではないか。

幸福度を数値によって表す試みは、世界的な潮流となりつつある。フランスのサルコジ大統領（当時）は、ＧＤＰの拡大だけを目指すと生活状況が悪くなる恐れもあるとして、ノーベル経済学賞を受賞したスティグリッツやアマルティア・センたちへ、ＧＤＰに代わる新しい豊かさの指標を考案するよう依頼した。２００９年に発表された報告書は、健康や教育、安全など直接経済とは関わりの薄い要素や、次世代に引き継ぐべき価値を経済の評価に含めるなど、機械的ではなく人間的な捉え方で豊かさを表そうと努力した形跡がうかがえる。

ブータンはしばしば「幸せの国」と呼ばれるが、第四代ジグミ・シンゲ・ワンチュク国王は1972年、国の発展を図る指針としてGNP（国民総生産）に代わるGNH（国民総幸福量）を提唱した。GNHは①持続可能で公平な社会的・経済的開発、②自然環境の保護、③伝統文化の保護と発展、④よりよい統治の促進の四本柱からなる。GNHの独創性は、①は②から④に資するものでなければならないとし、開発を盲目的に推進することを幸福と結びつけない点に見られる。GNHの考え方は、2015年9月の国連サミットにおいて加盟国の全会一致で採択されたSDGs（持続可能な開発目標）に引き継がれている。

幸福度を国別に数値で比較する世界ランキングも、様々な団体が作成に取り組んでいる。こうしたランキングにおいて、日本の幸福度はどの位置にあるのだろうか。ミシガン大学を中心に行われる「世界価値観調査」によると、日本人の幸福度は79か国中36位であった（World Values Survey 2021）。また国連が毎年発表する「世界幸福度報告」では、149か国中56位であった（World Happiness Report 2021）。

日本はGDPが世界第三位に落ちたとは言っても、新興国や発展途上国と比べたらずっと高い水準にある。一人当たりGDPも同様だ。全国の地域で治安が守られ、救急車は呼べばすぐに駆けつけてくれる。ごみが散乱するようなスラム街はなく、宗教的な理由による自由の制限もない。身分制度や階級制度はないし、経済活動の自由は保障されている。諸外国と比較しても見劣りしないどころか、誰もが幸せを享受できる環境が整っているにもかかわらず、なぜ日本人の幸福感は高くないのか。

幸福度ランキングの内容を詳しく分析すると、社会的サポートや多様性などの指標が特に低く、それらが日本の順位を押し下げている要因と考えられる。社会保障が整備されているとは言っても、実際は利用をはばからせる雰囲気があるのではないか。個性を尊重しているとは言っても、実際は暗黙のうちに空気を読む行動が求められているのではないか。振り返ると確かに思い当たることもなくはない。また、完全ではなくある程度で満足しようとする日本人の気質も理由の一つであるという。

したがってランキングの結果だけで、日本人の幸福感は高くないと決めつけるのは適切ではない。先にも述べたように、幸せは内面の問題であり、その捉え方は個人ごとに大きく異なる。幸福感を高めることは大事な課題だが、そのためにランキングの上昇を目的化したのでは本末転倒となる。ランキングの上昇は経済成長率や物価上昇率と同様に、あくまでも結果であるべきだ。

幸せを数値ではない形で捉え直した国内の例を紹介する。福井新聞社と日立京大ラボが共同で実施した「未来の幸せアクションリサーチ」という企画である。一般財団法人日本総合研究所が二年に一度公表する「全47都道府県幸福度ランキング」で、福井県は２０１４年から四回連続で全国一位の座にある。しかしランキングの幸福度と、県民が実感する幸福感の間には乖離があるのではないか。そのような疑問が、この企画を生んだ背景にあった。

幸福度ランキングも結局はいくつかの指標を基に測定するものであり、指標が本当に幸せに結びついているかは個人の主観によって変わる。様々な指標の中で福井県が一位となっているのは「インターンシップ実施率」や「待機児童率」などであるという。確かに若者世代、子育て世帯にとって重要な指標ではあるが、幸せの実感につながるかは人によって異なるだろう。

こうしたことを課題と捉えた福井新聞社は、紙面等を活用して「福井の暮らしの中で幸せを感じるときやこと」を募集した。すると、なんと千項目もの回答が寄せられたという。幸せの実感が多彩であることの表れだろう。

リサーチは多様な立場の県民を巻き込み、政策提言ＡＩを用い、想定よりも長い時間をかけて、最終的に9分野30項目の「小さな幸せアクション」をまとめた。「家族でハグしよう」「ＳＮＳを一日オフにしてみよう」「地面に寝転んでみよう」など、数値で表せるものではなく、日常の今にある具体的な行動を示している点で特徴的だ。誰もが納得できる定義を幸せに見出すことは困難だが、このような取組みは地域住民の幸福感を高める上で非常に有意義であると言える。

慶應義塾大学大学院教授の前野隆司によると、幸せには長続きしない幸せと長続きする幸せがあるという。長続きしない幸せは物やお金、地位などの「地位財」、長続きする幸せは心の要因による「非地位財」とし、心の要因による幸せの「四つの因子」を満たせば、長続きする幸せを手に入れることができると分析する。その四つとは①自己実現と成長、②つながりと感謝、③前向きと楽観、④独立とマイペースであるという。心的要因を対象とする調査から導かれた結果ではあるが、この四因子を満たせば幸せな地域をつくることもできると説いている。

これは欧米をはじめ世界中の心理学者や経済学者による研究成果を集め、幸せの全体像を体系化したことによって導かれた結論である。未来の幸せアクションリサーチの30項目を因子ごとに類別することもできそうだ。

日本が国是ともしてきた経済成長や経済大国といった地位財も、実は長続きしない幸せではなかったか。こういう意見を述べると、経済成長を目的として何が悪いのかと反論が返ってくる。幸せを実感できたとしても、経済的に弱い国では、周辺の大国からの圧力に耐えられない。だから経済と軍事を最優先させるべきとの言い分だ。

考えてほしい。経済や兵器が十分であっても、そこに住む人間が幸せを感じられなければ、命がけで国を守ろうという気は起きないだろう。武田信玄は「人は城、人は石垣、人は堀」との言葉を残した。人あっての国である。そして幸福感あっての人である。**幸せを感じられないどころか、幸せになろうと意欲を持つことさえ諦めさせる国に、命がけで守るべき価値を見出せるほど、人間誰もが献身的な性格ではない。**

人間の安全保障をおろそかにする国は、兵器による安全保障では守れない。幸せをもたらす国に身を捧げ、幸せをもたらす郷土に骨を埋める。人間とはそういう生き物であることは、世界各地の歴史が証明している。

◆第2節　幸せと福祉の違い

幸せや幸福に似た言葉として福祉がある。法令や制度などに幸せや幸福という言葉はあまり見ないが、福祉という言葉は多く見られる。例えば日本国憲法に福祉という言葉は第十二条、第十三条、第二十二条及び第二十九条の「公共の福祉」、第二十五条の「社会福祉」と五か所に見られるのに対し、幸福という言葉は第十三条「幸福追求」の一か所だけである。同様に地方自治法

（平成三十年法律第四十六号による改正）は、福祉という言葉が四十八か所に見られる一方、幸福や幸せはゼロである。

幸福や幸せは英語でhappinessという。happyの名詞形だ。一方の福祉はwelfareといい、well（よく）とfare（生きる）が合体してできた言葉とされる。幸福や幸せは感情的な要素を含み、福祉は「よい生活を送る」という実態的な要素を含むとも解釈できよう。日本では、個々人の私的レベルの幸せを幸福、社会的レベルの幸せを福祉と分ける考え方もあるらしい。

幸せも福祉も、日本の政治や社会で扱われるテーマとして、今後ますます重視されることになるだろう。だが両者を明確に区別しないことが、むしろ不公平感を生じさせることも懸念される。特に行政による福祉サービスのほとんどは、全国民を対象とするものではなく要件を満たした一部の人を対象とするもので、なぜあの人はサービスを受けられて自分は受けられないのかと分断を生むこともある。

福祉サービスは幸せか不幸せかで対象者を線引きするわけではない。同時に、白でも黒でもないグレーなケースが適切に扱われているのか、そもそも要件が正当なものであるのか、絶対にそうだと言い切ることは難しい。困っていてもサービスを受けられない人にとって納得できない心情は、そういう部分から生じている。したがって制度としての福祉には目標を定める必要があると考える。

人が自立して生きていくためには、心身の状態や発達段階、生活状況、経済状況などに一定の水準が必要だ。疾病や後遺症、障害、思考力や判断力が十分でない年齢、家庭内暴力、衣食住の欠乏、過度な借金など、いわゆるハンディキャップを負った状態の人に自助努力を求めたら、自立する前に力尽きてしまうだろう。このような境遇にある人たちはスタート地点にすら立てず、マイナスの状態に置かれていると言える。彼らをゼロ地点、スタート地点に置いてあげることが福祉の本来の役割ではないか。そこで福祉の定義を「マイナスをゼロに近づけるもの」としたい。

ゼロから先はそれぞれが好きな方向へ、自分に合ったペースで進めばよい。ゼロから先は幸福追求の範疇だ。しかし何らかの理由でゼロより後ろの境遇に移らざるを得なくなった人も、福祉によってゼロまでは引き上げられるようにしておく。これで不公平感は弱まる。

ゼロ地点をより前へと移動させていくのが、その時代を生きる国民の願いであり務めである。教育がよい例だ。かつて学校へ行くことはゼロではなくプラスであったが、明治5年の学制発布で初等教育がゼロ地点になった。さらに昭和22年の教育基本法及び学校教育法の施行により中等教育がゼロ地点に、平成22年の高等学校等就学支援金制度により高等教育がゼロ地点になった。

教育は全国一律で進められてきたが、将来的には自治体が分野ごとにゼロ地点を定め、地域によって特色ある福祉政策を推進することが、より生きやすい社会の実現のために有効と考える。

◆第3節　人間らしさ

福祉を拡充し幸福追求を個々人に委ねれば、幸福感を高めるための対策は十分と言えるのか。決して十分とは言えないだろう。幸福を求めたくても制度や慣習、社会構造などがそれを許さない、むしろ不幸を招いているケースさえある。個々人の幸福追求権を阻害する要因を取り除いていくことも、幸福感を高める一つのアプローチであり、パトリズムの重要な課題と捉えなければならない。

まずは日本社会が人間らしさを尊重していると言えるのかを検討する。人間らしさとは何かを議論すれば、それだけで一冊の本になるだろう。ここでは難しいことは考えない。人間とは滅びを約束された肉体と、判断を誤ることもある知能と、本人でさえ完全にコントロールできない感情を持つ、不完全な存在である。不完全性こそが人間らしさの本質ではないか。神のように完璧な存在でもなければ、修理して再生できる道具でもない。その不完全性に配慮することが、人間らしさを尊重する社会にとって必要条件と考えるべきだろう。

この視点から日本社会はどう見えるか。人間らしさがお金や技術で保護される部分もあるが、それ以上に冷たい実状が見えてくるのではないか。メディアは真実を伝える誠実さよりも、視聴者の消費意欲の喚起に邁進する。道路は歩行者の安全よりも自動車のスムーズな通行が優先的に整備される。様々な職業で高度なマニュアル化が進み、個人の人格が評価される機会が減少していく。道で出会った子供に挨拶の声をかけようものなら、それだけで不審者扱いされてしまう。さだまさしが歌うように「やはり僕たちの国は残念だけれど何か大切な処で道を間違えたようですね」――

人間は他の動物と異なり、未来を予測することができる。そして他の動物と異なり、死を認識することができる。つまり自分自身の未来に必ず死が訪れることを予測できる。しかし不完全な存在であるからこそ死に対して不安を感じ、あるいは死ねば楽になれるかもしれないと救いを幻想するのである。

どんなに科学が発達しても、永遠の生命を手に入れることは不可能だ。死に対する不安は個々人が自分自身で解決するしかない。死について考えないで生きることも、宗教の教えを信じることも、現実を現実として受け入れることも、どれも誤りではない（自分の死に他者を道連れにすることは絶対に許されない）。

しかし追い込まれた末の自殺までもが、誤った判断ではないと言えるだろうか。自殺の多くは防ぐことができる社会的な問題であり、人間らしさを尊重する社会にとって、追い込まれた末の死を減らすことは重要な課題である。

国内における自殺死亡者数を見ると、平成9年まで2万人台で推移していたものが、10年には3万2863人に急増している。さらに15年には3万4427人と、統計を取り始めた昭和53年以降で最多となった。その後減少傾向が続き、令和元年に2万169人にまで減ったが、2年は2万1081人と増加に転じた（厚生労働省「令和2年版自殺対策白書」）。

海外の国々と比較して日本の自殺の状況はどうか。日本の人口十万人当たりの自殺死亡率は、2015年は18・5であった。世界保健機関によれば、G7（主要7か国）で最も高い数値であるという。それ以外の国々との比較では、総数ではリトアニアが28・8で最も高く、次いでガイアナが27・7、韓国が26・5と続き、日本は九番目に高くなっている。男女別では男性が十五番目、女性が四番目と、女性の自殺死亡率の高さが目立っている（同）。

深刻なのは若い世代の自殺である。年代別の死因順位を見ると、15歳から39歳の各年代の死因の第一位は自殺となっており、男性は10歳から14歳も自殺が第一位となっている。15歳から34歳の若い世代で死因の第一位が自殺となっているのは、G7では日本だけであり、死亡率16・3はアメリカの14・1、カナダ10・6などと比較して高い水準にある（同）。

平成28年に自殺対策基本法が改正され、地域レベルでの自殺対策を推進する計画策定が、全ての自治体に義務づけられた。また政府の自殺総合対策大綱は、地域レベルの実践的な取組みへの支援強化や、心の健康を支援する環境整備と心の健康づくりの推進などを、当面の重点施策に位置づけている。自殺をめぐる課題解消のためには、公的な関係機関と地域との協働が不可欠であることから、地域コミュニティーにも補完的な役割が求められる。

なお、延命治療を施さず結果として患者の死を招く尊厳死は、日本では厚生労働省が作成したガイドラインの条件を満たすことで合法と認められている。しかし尊厳死は広義の自殺とも捉えられるし、本人の意思が判別できないケースでは広義の殺人と捉えられかねない。ガイドラインは「多専門職種の医療従事者から構成される医療・ケアチーム」が決定すると示しているが、**経済的理由や「迷惑をかけたくない」といった良心的理由による尊厳死は、人間社会の幸せにはつながらない**と信じている。

◆第4節　家族

次に家族について検討する。家族は個人と地域コミュニティーの中間にあり、補完性の原理の観点から最初に助け合う集団の単位である。

家族は形式的に、同じ家に住み生活を共にする者の集団である。生活の内容として具体的に食事、衛生、教育、娯楽などが思いつくだろう。さらに深く考えると、お金や不動産などを共有し、冠婚葬祭や年中行事を行い、家族内の約束事は家族内で決定し、家族全員が幸せになるために支え合う姿が、イメージできるのではないか。つまり実践的郷土愛、パトリズムが重視する「資源」「文化」「自治」「幸せ」の四要素は全て、家族においても適切に管理することが求められている。**家族とは資源を管理し、文化を継承し、自治を学び、幸福を分かち合う場**としても期待されるのである。

一般的に地域コミュニティーの構成単位を世帯（家族）とするのは、地域コミュニティーが共同生活の組織であり、区域内全ての住民を構成員として想定しているからと言われる。だが本当にそれだけだろうか。地域コミュニティーが自治体の縮図のような組織であるのと同様に、家族もまた自治体や地域コミュニティーの縮図とも捉えられる。このことも、地域コミュニティーの構成単位を世帯とする理由の一つではないか。

地域コミュニティーの活動は、構成単位である家族によって支えられる。それぞれの家族にゆとりがあることが、地域コミュニティーの活動を安定させることにもつながるのである。ゆとりのある家族生活を送るには、適切な収支バランスや時間的余裕はもちろん、ある程度の人数によって役割分担ができる体制、相互に自立し信頼し合う関係、暴力や無関心など心身への虐待が起きていないことなどが求められる。

それでは一般的な家庭にとって、今の生活はゆとりがあるものと言えるだろうか。平成24年から令和元年にかけて、一世帯当たりの一か月間の消費支出は約２０００円増加しているのに対し、年間収入は約1万円減少している。なお同じ期間にエンゲル係数は１・８ポイント上昇している（総務省「家計調査」２０１９）。このことは、生活水準が低下傾向にあることを意味するだろう。

また令和3年1月時点の世帯人員別世帯分布は、一人世帯が35％、二人世帯が29・5％、三人世帯が16・9％、四人世帯が12・9％、五人以上の世帯が5・5％となっている。平成27年1月と比較すると、一人世帯が3・9ポイント、二人世帯が0・2ポイント増加している以外、三人以上の世帯はいずれも減少している（総務省統計局「地方、世帯人員別の世帯数分布」）。自分自身や家族以外に向けられる余力は少なくなってきているのが現状である。

家庭内暴力の件数も増加傾向にある。平成28年から令和2年にかけて、配偶者からの暴力事案等の刑法・特別法検挙は４１１件増加している。同じ期間で児童虐待の検挙は１０５２件、被害児童数は１０６４人増加しており、期間内にほぼ倍増している（警察庁「犯罪統計」）。家族が壊れてきていることは、これらの数字から明らかである。

伝統的な家族観を取り戻すことが必要だという意見もあるが、生活様式の変化が進む状況では現実的ではなく、形だけ似せても実感できる幸せを高めることにはならないだろう。**家族が不幸**

をもたらしているケースがあること、声なき声で助けを求めている人がいること、自助だけではどうにもならないことにも配慮しなければならない。

さらには多様な家族観の許容という課題もある。近年特に議論が深まっているのが、夫婦別姓と同性婚である。

現在は民法の規定により、結婚する全ての夫婦は必ず同じ姓を名乗らなければならない。しかし姓が変わることによって、それまで積み上げてきたキャリアが消えたように扱われたり、離婚や再婚のたびに煩雑な手続を求められたりするなど、姓を変更する側に様々なデメリットがあることが指摘されている。

婚姻後どちらの姓を名乗るかに法的な制限はなく、両者の話し合いと合意によって決められる。しかし現実は、妻が夫の姓へ変更する夫婦の方が圧倒的に多い。夫が妻の姓へ変更する夫婦の割合は、昭和50年の1・2％から微増傾向が続き、平成27年には4・0％まで増えた（厚生労働省「平成28年度 人口動態統計特殊報告」）。とは言え夫の姓を名乗ることが社会通念として定着しており、妻の姓を名乗るのは特別な事情がある場合に限られるとの理解が強い。

平成22年に法務省が世界各国の婚姻制度を調査したところ、同姓か別姓かを選べる国としてアメリカ、イギリス、ドイツ、ロシアなどがあり、原則別姓の国としてフランス、韓国、中国などがあることが分かった。またイタリアやトルコなどは夫婦の姓を合わせる「結合姓」を採用し、同姓を義務づけている国は日本だけとの結果が出たという。

法務省は現在、夫婦が望む場合に結婚後も夫婦がそれぞれ結婚前の姓を名乗ることを認める「選択的夫婦別姓制度」の導入を検討している。内閣府が平成29年に実施したアンケート調査によれば「婚姻をする以上、夫婦は必ず同じ姓を名乗るべきであり、現在の法律を改める必要はない」と回答した人の割合は29・3％、「夫婦が婚姻前の姓を名乗ることを希望している場合には、夫婦がそれぞれ婚姻前の姓を名乗ることができるように法律を改めてもかまわない」と回答した人の割合は42・5％、「夫婦が婚姻前の姓を名乗ることを希望していても、夫婦は必ず同じ姓を名乗るべきだが、婚姻によって姓を改めた人が婚姻前の姓を通称としてどこでも使えるように法律を改めることについては、かまわない」と回答した人の割合は24・4％であった（内閣府「家族の法制に関する世論調査」）。

選択的夫婦別姓の導入に反対する立場からの意見には「夫婦同姓制度は別姓制度よりも、より絆の深い一体感ある夫婦関係・家族関係を築くことができる」「共同体意識よりも個人的な都合を尊重する社会の風潮を助長する」「子供の心の健全な成長を考えたとき、夫婦・家族が一体感を持つ同一の姓である方がよい」といったものがある。

夫婦別姓を認めない規定は男女平等などを定めた憲法に違反するのではないかとの訴えに対し、

最高裁大法廷はこれまでに二回、憲法に違反しないと判断を示している。しかし裁判官の意見は分かれており、令和3年の大法廷では合憲と判断したのが11人、違憲と判断したのが4人であった。

国連に設置されている女性差別撤廃条約の委員会は日本政府に対し、夫婦に同姓を義務づける制度を改善するよう、過去三回にわたり勧告を行っている。

同性婚もまた、諸外国で導入の動きが加速している。同性婚を世界で初めて認めたのはオランダで、2001年のことであった。欧米を中心に同性婚は次々に導入され、19年にはアジア圏で初めて台湾で導入された。20年の時点で28か国が同性婚を認めており、G7は日本以外の全ての国が認めている。またパートナーシップなど同性カップルの権利を保障する制度を持つ国や地域は、世界の約20％に及ぶという。

性は生物学的に男性と女性に二分できるものではなく、性自認や性的指向の組合せなどにより多様性を持つものであるとの理解が、日本でも広がりつつある。生物学的な性と性自認が一致しない人や、性的指向が同性に向く人などを意味する語として、LGBTが定着してきているが、本書では性的マイノリティーの語を用いる。

日本では同性婚は認めていないが、同性カップルにも婚姻カップルと同様に公営住宅や賃貸住宅への入居、携帯電話料金等の家族割引、生命保険の受取りなどの権利やサービスを認めるパートナーシップ制度が、複数の自治体で導入されている。国内で最初に導入したのは渋谷区と世田谷区で、平成27年のことであった。令和3年4月の時点で60を超える自治体が導入している。

同性婚が認められないのは日本国憲法第二十四条のほか、幸福追求権を定める第十三条、法の下の平等を定める第十四条に違反するのではないかとの訴えに対し、札幌地方裁判所は令和3年3月、法の下の平等を定めた第十四条に違反するとの判断を下した。札幌地裁を含む全国五つの地裁と高裁で、同性婚訴訟が争われている。

◆第5節　労働と生産

対価を得るために仕方なく行うだけが労働ではない。人脈を広げたり、知識や技能を高めたり、達成感を味わったりと、様々な幸せを実感できるのも、労働ならではの特色である。特にチームとして動くミッションほど、自分自身の存在が仲間から必要とされている実感を持てる機会はないだろう。

しかし労働から得られる幸せは、確実に小さくなっていくのではないか。例えばＡＩが発達することにより、今後十年程度で人間の仕事の約半分が消える可能性があり、雇用が縮小するとも予想される。ＡＩで代替可能と言われる仕事に就いている人にとっては不安でしかない。

労働の現場では、決して幸せとは言えない働き方や環境を強いられるケースが増えている。使用者と労働者とでは、必然的に使用者の立場が強くなりやすい。労働者は労働条件の維持改善や経済的地位の向上のために団結し、使用者と交渉することができる。労働者の団結によって結成されるのが労働組合だが、近年の推定組織率は二割にも満たず、影響力の低下が指摘されている。

単一労働組合の労働組合数は昭和59年の３万４５７９組合を頂点に減少に転じ、令和２年は調査開始以降最少となる２万３７６１組合である。また労働組合員数は平成６年の１２６９万人を頂点に、その後減少傾向にあったが、平成27年から増加に転じ、令和２年は１０１１万人である。雇用者数に占める労働組合員数の割合である推定組織率は、平成24年以降は17％台以下を推移している（厚生労働省「令和２年労働組合基礎調査の概況」）。

非正規雇用者による労働組合の結成や、既存の組合が非正規雇用者にまで組合員の範囲を広げる事例も増えている。しかし正社員との処遇格差などの問題もあり、非正規雇用者の組織率増加は思うように進んでいない。こうした現状を好機と捉えているのか、政府は企業側に優しい施策を次々に打っている。

例えば令和元年から施行された働き方改革関連法により、高度プロフェッショナル制度が導入された。働いた時間ではなく成果で賃金を決める内容で、労働時間の規制が実質的になくなる一方、時間内に結果を出せない労働者には残業代が支払われないケースが懸念される。実際にこの制度が実施されているアメリカでは、制度が適用される労働者のほとんどに残業代が支払われていないという。

また労働基準監督官による定期監督が十分に行われているとは言えない状況にあるとの理由で、監督官の業務を民間の活用で補完することが認められた。具体的には事業所内に労働者向けの窓口を設置し、労働基準法違反などについて相談できる体制をつくるもので、その窓口に社会保険労務士などを置くという。通常は企業を守る立場で業務に当たる社労士が、企業に対して厳しい監督を行うことができるだろうか。違反が疑われるケースが発覚したとしても、必要な監督指導を監督官が実施する前に、重要書類が隠蔽されるなどの恐れがあるという指摘もある。

所得が伸びず豊かさの実感に乏しい現代の日本では、消費者の志向は「なるべく安く」の方向に進みやすい。消費者庁の調査によると、商品やサービスの購入時に重視するものとして、全体の83・6%が「価格」と回答している。また最も重視するものとして「価格」を選んだ人の割合は28・8%であった。これは「商品の現物確認」に次いで二番目に多い（消費者庁「令和3年版消費者白書」）。

消費者に選んでもらうために安い価格を設定しようとすれば、販売に至るまでのコストを下げなければならない。製造の現場は、工賃を下げるようにメーカーから厳しく要求され、仕事を失わないために効率化と人件費削減が極限まで進められる。特に技能実習生を受け入れている事業所で、最低賃金違反や違法な時間外労働などの実態があるという。

大量生産された食料品や衣料品が大量に廃棄されている現実も直視しなければならない。農林水産省及び環境省の調べによると、平成30年度の食品ロス（まだ食べられるのに廃棄される食品）量の推計値は６００万トンであった。前年度より12万トン、率にして２％減少してはいるが、家庭系食品ロス量が３％減少しているのに対し、事業系食品ロス量の減少幅は１％にとどまっている。また独立行政法人中小企業基盤整備機構の調べでは、毎年約１００万トン、枚数に換算すると33億着の衣料が廃棄されているという。10億着が、一度も消費者の手に渡ることなく捨てられているという指摘もある。

食料品や衣料品がこれだけ大量に廃棄されていても、表面上は何の問題もなく経済が動いているように見える。しかし地球環境には確実に負荷がかかっているし、製造原価を低く抑えることが廃棄への罪悪感を希薄化させるという不道徳につながっているのではないか。

大量廃棄を招くほどの大量生産は、資源が適切に管理されている状態とは到底言えず、こうした不健全な経済は改めていかなければならない。**生産品が廃棄されているのと同時に、労働者が**

享受するはずの幸せが見えない形で廃棄されているに等しいことも、消費者全体が省みなければならないだろう。

◆第6節　幸せのために何を実践すべきか

実践的郷土愛、パトリズムの立場から、社会生活における幸福感を高めるために私たちは何をすべきか。幸せは内面の問題であり、他者や政府から与えられるものではない。しかし社会全体でつくることは可能だと考える。

前野隆司の研究によると「つながりと感謝の因子」を満たすことで、何もしないときよりも幸せを感じられる可能性が高まるという。この因子は「人を喜ばせる」「愛情」「感謝」「親切」という、他者と心が通う関係によって満たされると分析されている。

生活感から遠い国家ではなく、日々の生活が営まれる郷土を実践の場とすることは、これまで説明してきたとおりパトリズムの基本姿勢である。つまり最も身近な地域コミュニティーで、他者が喜ぶ利他的活動に参加し、愛情や感謝や親切を互いに感じ合うことができれば、幸せは向こうからやってくることになるのだ。

本書を丹念に読んでこられた読者は気づいているはずだ。第二章から第四章までに示した主体的な関わり方をはじめ、**郷土における公共財（資源・文化・自治）を隣人と共同で適切に管理する実践的姿勢は、自分自身が幸せを実感するための手段でもある**ことを。さらに本章で言及した自殺を減らす取組みもそこに含まれる。

内閣府の幸福度に関する研究会が平成23年に公表した「幸福度に関する研究会報告」によると、若年層で社会的課題解決のための活動に「関わりたくない」と回答した人の幸福感が最も低く「関わりたいと思うが、余裕がなく、できない」「関わりたいと思うが、どうすればよいか分からない」「既に問題解決をする活動に関わっている」の順に幸福感が高くなっている。他者を幸せにすると自分も幸せになることが、統計からも明らかである。

さらに興味深いことに、幸せな人の周りには幸せな人が多く、そうでない人の周りにはそうでない人が多いとの研究結果もあるという。また幸せな人は集団のネットワーク図の中心にあり、幸せでない人は末端にいるという分析結果もあるそうだ。前野隆司は「幸せは伝染する」と結論づけているが、住民が幸せに包まれる地域や国をつくる目標は、決して絵空事ではないはずだ。

個々人の幸福追求権を阻害する要因は、どのように取り除いていくべきか。あらゆる施策や公共投資において「人間らしさの尊重」を基本理念に置くことである。経済成長、グローバル化、効率性、利便性、画一性、スピード感、安心安全、プライバシーといった従来の価値観を見直し、**人間らしさの尊重を国是に据える意識の大転換が必要**だ。満員電車、使い捨て雇用、狭い住環境、大量廃棄、大規模開発行為などは人間らしさを尊重しているのか、幸せを到達点とするいっときの通過点なのか、当事者を巻き込む形での検証を求めたい。

平成21年に政権交代を果たした民主党は「コンクリートから人へ」とのスローガンを掲げた。このスローガンは、自民党政権がダムや道路、空港などの大型建築物に巨額の税金を投入してきたことに対抗し、子育てや教育、年金や医療など社会保障の充実を目指す意図があったと解釈される。公共事業の重要性は、度重なる自然災害から多くの命が守られている現状からも明らかである。しかし「コンクリートか人か」とした対立軸を異なる角度から見ると「保護か実践か」「集積か学習か」「効率か情緒か」とも見えてくるのではないか。「保護」「集積」「効率」はキャピタリズム・日本列島改造論的価値観であり「実践」「学習」「情緒」はパトリズム・日本列島修復論的価値観である。

オセロのように、黒を白にひっくり返すことで勝った負けたを争うのではない。人間社会において大切なのはバランスである。人口減少と少子高齢化、また格差拡大や気候変動など資本主義が行き詰まりを見せる中、改造論的価値観である「保護・集積・効率」から修復論的価値観である「実践・学習・情緒」へ、比重を見直すことを提案したい。

同時に、冷戦終結後も克服されていない「保守か革新か」という対立軸を新しい対立軸に置き換えることが、より現実に即した政治の議論につながると期待する。パトリズムは伝統を守る「保守」も伝統を破る「革新」も、直接の目的とはしない。**目的はあくまでも人間らしさの尊重を基本理念とする幸福感の向上であり、その実現の過程で伝統を守るケースも伝統を破るケースも両方想定される**からである。

尊厳死、夫婦別姓、同性婚という課題を具体的にどうするべきか。

尊厳死は先に述べたように、経済的な理由で認めるべきではない。人は必ず死ぬが、それでも最期の一瞬まで「生きたい」と思えるような人生を送ってほしい。「これ以上は生かしていても費用がかかるだけだ」との理由に正当性はない。ただ一方で、回復の見込みがなく苦しいだけの状態から解放させてあげたいとの願いを尊重する考え方も理解できる。

もし尊厳死を制度化すれば、ある人が尊厳死で死んだことが広く知られた場合、同様の状態に置かれた人やその周囲が「なぜ尊厳死を選ばないのか」といった無言の圧力を感じることにはならないか。少なくとも「経済と人間とどちらが大切か」と問われて「人間」と即答するのが当たり前の社会になるまで、尊厳死の制度化は棚上げすべきである。躊躇せず「経済」と答える人は少数だとは思うが、多くの人は「比べられるものではない」「どちらも大切」などと曖昧に答えるだろう。例外的にでも**経済優先の余地を残す回答には、人間を置き去りにする危険が潜んでいる**。

それでは何を基準に、人間らしさを尊重する社会が実現したとみなせるだろうか。一つの区切りとなるのは動物福祉（アニマル・ウェルフェア）の基準がヨーロッパ並みに引き上げられた時だろう。人間に対して最大限に優しい社会でなければ、動物の権利のことまで考える余裕はないからだ。

人間らしさの尊重に対する理解が国民全体に広がれば、尊厳死からさらに踏み込み、安楽死についても議論できる環境が整ったと言えよう。

夫婦別姓は、人間らしさを尊重する基本理念から考えれば、当事者の希望をかなえることが優先されるべきである。全夫婦を一律で別姓とするのでなければ、現行制度に慣れた人も不利になることはない。

選択的夫婦別姓に反対する側の意見をいくつか示したが「夫婦同姓」と「一体感ある夫婦関係・家族関係」の因果関係は証明されていない。「共同体意識よりも個人的な都合」を優先する人は、現行の夫婦同姓制でも幾らでもいる。大事なのは共同体「意識」より、共同体に所属した上での「実践」だ。また「同一の姓」と「子供の心の健全な成長」の因果関係も明らかではない。反対派による三つの意見から選択的夫婦別姓を否定するのは無理があるし、夫婦別姓を採用している国々に対して失礼だと感じる。

そもそも、結婚に際して妻が姓を改める例が圧倒的多数を占めている現状は、土俵が夫にとって有利に傾いているようなもので、中立的な議論が許される環境にあるとは言えない。選択的夫婦別姓に反対する人は、自身が結婚する際や、自分の子供が結婚する際、夫が妻の姓を名乗るようにしてはどうか。夫が実際に妻の姓を名乗ることで、社会で活躍する既婚女性が味わってきたのと同じ不便・不利益を実感するだろう。その上で選択的夫婦別姓を認めるべきではないと言うのであれば、その意見は聞くに値する。


選択的夫婦別姓と同様に同性婚も、人間らしさを最大に尊重する基本理念から、導入にかじを切るべきと考える。従来の異性間による結婚か、新しい同性間の結婚かを選択できるようになるだけであり、全国民に同性間の結婚を強制するわけではないのだ。誰かが損をするわけではない。

生物学的な性、性自認及び性的指向は、自分で選んだり変えたりできるものではない。そういう意味で、権利や扱いに差をつける理由にしてはいけないのだ。

性的指向は特にセンシティブな問題である。多くの人は同性から性的対象とされることに嫌悪感を覚える。同性愛指向を明らかにすれば、他者から嫌悪の目で見られるリスクを背負うことになる。したがって同性婚が導入されたとしても、多くの同性愛者がこれまでと同様に自分の胸にしまって生きる道を選ぶことが予想される。

それでも同性婚という新しい道を選ぶことが可能になれば、幸せを得る人は増えるだろう。また性的指向を明らかにしないでひっそり生きる性的マイノリティーにとっても、市民権を獲得した実感が高まると同時に、それまで背負ってきた後ろめたさのような感覚は相当軽くなるのではないか。

夫婦別姓も同じだが、一部の人が新しい幸せを手に入れることを妨げるのではなく、幸せになることを共に喜べる社会を目指そうではないか。**少数の人の幸せが積み重なることにより、社会全体の幸せが高まる**のだから。

労働者に不幸せを招かないためには何ができるか。商品の価格破壊には理由がある。天然資源を浪費したり自然界への影響を度外視して大量に生産すれば環境破壊となり、低賃金や過酷な労働環境など人へのコストを削って生産すれば不幸を招く。消費者として、価格は高くても品質が優良で長もちする商品を購入できるなら、大量生産された安い商品を避けるよう努めるべきだ。安いビニール傘を何本も購入するよりも、気に入った一本の傘を長く使う方が、環境にも生産者にも優しい。高額なものを厳選して買う消費者が、低額なものを大量に買う消費者より多数派になることを目指したい。

近江商人の理念として「三方よし」が知られている。彼らが活躍した当時は、商人という売り手側の立場から、おのれのもうけだけを求めて商いをするのではなく、お客さんの満足と社会全体への貢献も考えるよう戒める言葉とされた。しかし今の時代、売り手側にも弱い立場の人が存在する。買い手側の立場からも売り手よし・世間よしとなるよう、上手な買い物を心がけることが必要ではないか。高い行動哲学を掲げた近江商人が栄えたように、**利他の精神を行動に結びつけることによって、日本は持続可能な社会経済を実現できる**だろう。

第6章

日本のこれから

量から質へ

これまでの生産第一主義、輸出一本ヤリの政策を改め、国民のための福祉を中心にすえて、社会資本ストックの建設、先進国なみの社会保障水準の向上などバランスのとれた国民経済の成長をはかることである。

田中角榮『日本列島改造論』

◆第1節　パトリズムの展開

前章までに、田中角榮が理想とした「大都市や産業が主人公の社会ではなく、人間と太陽と緑が主人公となる〝人間復権〟の新しい時代」を迎えるための、令和における課題を示した。郷土の公共財を「資源」「文化」「自治」「幸せ」の四つに分け、隣人と共同でそれらを適切に管理するには何を実践すればよいのか、日本列島の修復に向けた解決策を提案してきた。

個々人の努力には限界がある。現実をより理想に近づけるには、制度や仕組みなどを変えなければならない。そのためには様々な法整備が必要となってくる。そうすると、立法権を行使できる状況をつくるという非常に難しい課題に直面するのである。

これを解決するためには、パトリズムの理念を深く理解する政治グループが政権の座に就かなければならない。長い戦いの第一幕は、まず基礎自治体を舞台に開かれることになる。国を動かせる権力を手に入れるには、地方で力を蓄えることが必要だ。現職であれ新人であれ、パトリズムの理念に共感する地方議員や首長が地域政党を設立し、地域課題の解決に向けた取組みへの支持を得ることが、当面の目標と言える。

自治体は必ず「資源」「文化」「自治」「幸せ」それぞれの分野で、地域ごとの課題を把握している。地域コミュニティーで活躍する人や役所の職員は、地元選出の国会議員よりもずっと地域課題を知っている。

多くの自治体が、長期的な展望に基づく行政運営の指針を盛り込んだ総合計画を策定している。その中にある分野別計画は、それぞれの自治体が独自に整理して示すものだが、パトリズムが守ろうとする「資源」「文化」「自治」「幸せ」にリンクさせられるものがほとんどだ。課題解決のための潤沢な財源はないことも、さらに多くの分野で市民協働を進めなければならないことも、行政の専門家である公務員は知っている。

これからの地方議員は、一人でも多くの住民を郷土を守る実践者の仲間に迎え入れつつ、実践的活動が持続可能になるよう、行政に対し制度の構築を求める役割が期待される。これからの首長は、部下である公務員の資質・能力を高めるための教育に力を入れるとともに、公務員、地域人材、有識者や専門家など、垣根を越えた形で人と人とをつなぎながら、実践的活動が効果的に行われるよう体制を整備する役割が期待される。

パトリズムの理念を掲げる地域政党が各地に設立され、住民からの支持を広げ、地域政党間の連携が展開した段階で、運動は第二幕へと進む。道州制の導入など広域自治体の再編統合をはじめ、自治体の権限の外にある課題を解消するためには、国政に進出し、一人でも多くの国会議員を議場へ送らなければならない。選出された国会議員が衆参両院の議席の過半数を占めれば、パトリズムの理念に基づく法整備を進められる環境が整う。

ただし、パトリズムの国会議員は最低でも一期四年、地方議員を務めた経験を有しなければならない。理由は説明するまでもないだろう。また全国組織の人事は、地方議員を国会議員より上位の役職に置くべきだ。霞が関の解体と、参議院への道州議会議員の派遣制を目指す以上、地方が主導権を握っていなければ筋が通らない。

◆第2節　質の経済成長

国政進出を目指すのであれば、長期的にどのような国づくりを進めようと考えるのか、これまでに検討した分野以外についても価値観や方向性を示さなければならない。ここからはパトリズムの政権構想全国版である。

最初の提案は、経済成長が目的化されている現状から、ＧＤＰに幸福感と福祉を加えたバランス重視へ転換することだ。仮に従来のＧＤＰ一辺倒の成長を「量の経済成長」と呼ぶなら、経済の状況を立体的な膨らみとする捉え方は「質の経済成長」と表現されよう。**【図４】**

主に三つの理由により、日本は低成長時代に移行していると考えられる。その理由は①人口減少・少子高齢化、②経済のグローバル化、③フロンティアの限界である。人口減少・少子高齢化は、市場の縮小や消費需要の減退を招く。経済のグローバル化は、新興国との競争から労働コストの削減を無理強いし、やはり消費需要の低迷をもたらす。③のフロンティアとは、ここでは安価な土地や埋蔵資源、イノベーション、使い尽くされていない労働力などを意味し、外へ向けても内へ向けても新たに開拓できる部分が枯渇しかけていることを限界と表現している。

日本は国民が平均的に豊かになった一方、供給過剰な傾向が続き、高成長する要素はほとんど残されていない。統計に手を加えるような反則行為を行わない限り、GDP拡大が順調であるように見せることはできない。さすがにそこまでは、と擁護したい気持ちは誰にでもあるが、政府はその反則行為を実際に行っていたという。

第二次安倍内閣発足から四年後の平成28年、GDPの大幅な改定が行われた。実質GDPの算出基準年を平成17年から23年に変更し、国際的な算出基準を1993SNAから2008SNAに変更するなどの内容である。この改定により、民主党政権時の約三分の一しか実質GDPが伸びていない事実などが隠されてしまったとの分析もされている。

経済成長の目的化は、国民生活にも負荷をかけることになる。経済のグローバル化による労働

【図4】 質の経済成長のイメージ

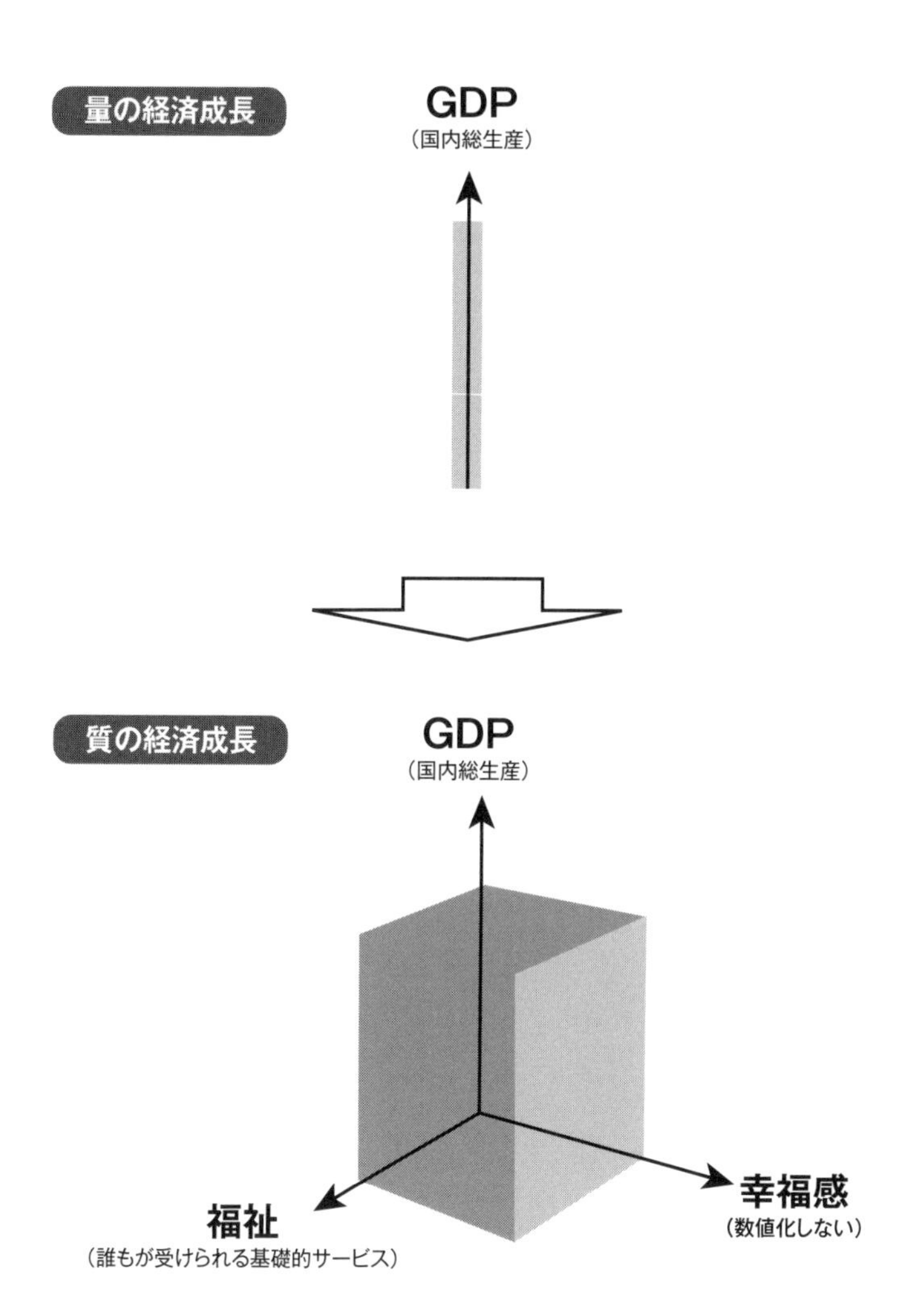

コスト削減への圧力が、賃金の抑制や非正規労働者の増加を招いているし、人口減少の悪影響に歯止めをかけるための移民受入れが、特定技能制度という偽装の看板の下で進められている。量の経済成長から質の経済成長へ転換する時期を誤ると、国民生活に不可逆的な傷を負わせることになる。福祉を必要とする人は増加し、制度を利用できる要件の厳格化がますます国民の分断を深める。福祉のゼロ地点を後退させることも余儀なくされるだろう。またナショナリズムや排外主義が不幸せを幸せに錯覚させ、歪んだ幸福感に心を奪われる人が増えるかもしれない。

イギリスの経済学者のシューマッハーは次のように述べた。

それ（経済成長・引用者注）を主目的として追求し、社会のもっとも基本的な任務だとして偶像化すると、結果は期待はずれとなり、目的は達成されない。それを国の最高の目標とすると、不可避的に貪欲、いらいら、粗暴と嫉妬を増長させ、どんな社会でも満足な運営に欠かせない基本的な徳目をこわしてしまう。

経済成長は、それ自体では、よいことでも悪いことでもない。なにが成長しており、なにが排除されたり破壊されているかが問題なのである。

ヨーロッパでは、既に経済成長路線への批判が広く知られている。政治的な運動として最も優れたアプローチは何か、この運動に最もふさわしい名前は何か、知識階級の間で議論が重ねられてきた経緯がある。そして「デクルワサンス（脱成長）」という言葉が、同意するか否かにかかわらず、政治家から一般庶民までほとんどの人に知られるようになった。なお、デクルワサンスへの賛同者は左派や中道左派が多いが、無限の生産を信条とするマルクス主義者は批判している。フランスやドイツでは右派の賛同者も存在するという。

もっとも、パトリズムは成長も脱成長も目的とはしない。**GDPは経済状況を知るための指標として参考とするが、豊かさの実感につながるのは雇用と所得である**。統計上、GDPと失業率、また一人当たりGDPと世帯所得中間値との間に相関がないことが分かっている。

雇用の安定と所得の向上という果実を収穫するには、企業が地域の特色に応じて事業を展開できる環境を整備する規制誘導が必要だ。そのためにも補完性の原理に基づく統治機構改革を行い、中央から道州への権限委譲を実現しなければならない。同時に、各地域は法人税率の引下げなど地位財の競争に走らず、子育てや介護などの福祉環境、多様な文化や良好な景観、住民の交流が盛んで幸福感が高いことなど、非地位財の豊かさを強みに企業から選ばれることを目指すべきだ。

過去の日本において、経済を量から質へと上手に転換させた時代があった。平和と繁栄が二百六十五年間にわたって保たれた江戸時代である。

江戸時代の前半は日本の総人口が急激に増加した。日本の耕地面積は、江戸幕府が開かれてから享保年間までの間に約１・５倍増えている。まさに経済成長したわけだが、新田開発や灌漑などのインフラ整備が進んだことなどにより、米の過剰な生産が幕府財政の悪化を招いた。これが享保の改革が行われた背景とされる。

享保の改革の後、人口や耕地面積は小さく推移した反面、庶民を中心とする元禄文化や、国学・蘭学など新しい学問が進展した化政文化が花開いた。現在の捉え方なら江戸後期は低成長であった。それでも庶民は高い文化を育て、幸福を実感しながら豊かに暮らしていたようだ。

初代駐日アメリカ公使のタウンゼント・ハリスは、幕末期の日本人の印象を日記にこう残している。

彼らは皆よく肥え、身なりもよく、幸福そうである。一見したところ、富者も貧者もない。
——これが恐らく人民の本当の幸福の姿というものだろう。

幸福感は数値で表せるものではないが、観察力を持つ人であれば、見た相手が幸せを実感しているか不幸せを実感しているかを読み取ることができる。かつて、天皇が住民の暮らしぶりの把握のために高い山の上から望み見ることを「国見」といった。地方に皇族がお出ましになる現在の行幸啓は、国見と同じ意味を持つ。国民が幸せで明るく前向きに生活できているかに気を配る姿勢は、王道による統治の伝統に基づいた実践である。

国政のリーダーである総理大臣も同じ姿勢で国民に向き合わなければならないし、国民はそのような資質を持つ総理大臣を選ばなければならない。

日本は強く見える国家よりも、真の強さを持つ国家たることを目指し、**幸福感の向上を国家目標あるいは国是の柱に掲げるべき**だ。幸福感はあえて数値で表さず、総理大臣が国内を視察して得た実感を率直に語る言葉として、経済の質的成長を表す要素の一つにしてはどうか。

もちろん公表される内容は、体系的に整然とまとめられていなければならない。そこで中央政府は「国民幸福感向上計画」を策定し、国民の幸福感に関する現状と課題を分析し、計画期間内の目標を示し、総理大臣による定期公表の項目を設定する。また道州及び市町村に対して、住民の幸せに係る課題解決の施策を提示し、幸福感向上のための取組みを促す。定期公表や施策の適切さなどは、国会での議論に期待したい。

福祉の制度は全国一律でルールが定められている。もし道州への権限移譲が実現されれば、道州政府がそれぞれ財政状況を見ながらルールを構築することになる。ゼロ地点をどこに設定するかは道州政府の裁量となる。ある州は幼児教育から大学まで教育環境を改善させるが、別の州は介護サービスの拡充に力を入れる、といった違いが生じることになるだろう。

地方行政が特色を競い合う環境は、国全体として総合的に福祉増進につながるメリットがある。しかし、人口が密集しているコンパクトな州と、人口がまばらで広い範囲を統括する州とでは、福祉以外の分野における行政コストに差が出るため、福祉に充てられる財源の大小から、そのサービスにも格差が生じることが予想される。サービスの格差が拡大すれば、サービスの小さい州から大きい州への人口移動が起こり、州財政にさらなる格差拡大を招くという悪循環に陥ることも懸念される。

そうならないためには、どのような対策が考えられるだろうか。

◆第3節　税制と財政

州ごとに人口、高齢化率、財政力指数、州土の面積及び利用区分割合、産業構造などが異なる中、従来の中央と地方との依存関係を払拭すると同時に、各州の自立した財政運営を支えるための財政調整制度を構築することが、最大の難関である。

まず、国税と都道府県税を州税に一本化し、市町村税との二層構造とすることを提案する。令和2年度の普通国債残高の対GDP比237・6%という数字は、主要先進国中最悪で、二番目に高いイタリアの133・7%と比較しても異常だ。この数字を直視する勇気を持たなければならない。

「国家が借金しないと通貨が生まれない」「インフレになっても簡単に抑え込める」「日本は資産があるから大丈夫」などという楽観論が一部で人気を博しているが、返済のめどがつかない状態でも借入れに依存しなければならない現状は、財政の失敗、統治機関の失格を意味するのではないか。

戦後の混乱期を乗り越えてから昭和39年まで、国債を発行しない収支均衡予算の下で順調に経済成長を続けていた。赤字国債に依存するようになったのは昭和50年頃からだ。それでも人口増加、発展途上国に対する産業の優位性、物価上昇などが続けば、国債の残高が累増しても返済と借入れのバランスを保ちつつ健全な財政運営を維持できたのかもしれない。しかし実際は人口減少と少子高齢化の波が押し寄せ、新興国が猛烈に追い上げ、物価は期待されたほど上昇せず、気づいたら二百年かけても返せない借金を抱えていた。

つまり**戦後の日本政府は、国家の財政運営に失敗した**のである。官僚たちは優秀だし、政治家は（全員ではないが）リーダーシップを発揮してきた。また国民の意思を反映させる民主制を守ってきた。にもかかわらず、抜け出すことが非常に困難なアリ地獄に首まで引きずり込まれてしまった。

その理由は何だったのか。少なくとも理由の一つに、中央の財布が大き過ぎたということがあると考える。拡大期は大きな財布で構わない。しかし拡大が臨界に達した時点で、一つの大きい財布を複数の財布に分割し、それぞれの財布が適切に管理されることを目指すべきであった。

ここから新税制のビジョンを示す。大きな財布を州ごとにどう分割するか。急激な変化による混乱を避けるため、最初の段階では原則として国税・地方税とも税率を据え置く。また従来の国税は、当面は税額の計算方法について全国で統一を維持するが、将来的に州及び市町村が州法及び条例で独自に定めることを視野に入れる。

現在の税金の種類を性質別に分類すると以下のようになる。納める先によって「国税」と「地方税」に分けられる。地方税はさらに都道府県に納める「都道府県税」と、市町村に納める「市町村税」に分けられる。納める方法で分類すると、税を負担する人が直接納める「直接税」と、税を負担する人と納める人が異なる「間接税」に分けられる。また使途で分類すると、特定されていない「普通税」と特定されている「目的税」に分けられる。

新税制は具体的にどう変化させるのか。大きな枠組みとして、国税の直接税（所得税・法人税・相続税・贈与税等）及び都道府県税の直接税（都道府県民税・事業税・自動車税等）は、州税の直接税とする。国税の間接税（消費税・酒税・たばこ税等）及び都道府県税の間接税（道府県たばこ税・軽油引取税・不動産取得税等）は、州の間接税とする。また、市町村税の直接税（市町村民税・固定資産税・軽自動車税等）及び間接税（市町村たばこ税等）は従来どおりとする。

目的税も国税（地方道路税・電源開発促進税等）は都道府県税（狩猟税等）とともに州税に一本化する。市町村税（入湯税・都市計画税等）は従来どおりとする。【図5】

財政調整は具体的にどのように行われるのか。これまで中央政府は、自治体の課税自主権を制限するとともに、自治体に財源を移転することによって、それぞれの地域のニーズを充足しつつ国家統合を図ってきた。財源移転は使途を特定した「特定補助金」と、使途を特定しない「一般補助金」に分かれる。一般補助金の「地方交付税交付金」は、自治体の間の財源の不均衡を調整し、全ての自治体が一定の水準を維持できるよう財源を保障するため、国が国税として徴収した財源を自治体へ再配分するものだ。

地方交付税交付金の計算方法は非常に複雑である。都市部より農山村地域や過疎地域に比較的有利となるような計算式が設定されているため、都市圏住民にとって不公平感につながる内容である。また自治体が経費削減などを努力しても、収支の改善が交付金の減額という形でマイナスに反映するため、自治体の自助努力を阻害しているという指摘もある。

なお、自らの税収だけで財政運営できる「不交付団体」は、最も多かった昭和63年度には１９

3あったが、その後は減少傾向が続いている。令和2年度の不交付団体数は前年度から10市町減って76（1都・75市町村）となり、新たに不交付団体になった自治体はなかった。

分割後の中規模な財布となる州財政は、原則として州単独で自主的・自立的に運営されなければならない。これまでのように中央政府から交付金や補助金が降ってくるわけではない。そして市町村間の財政調整は、従来のように国が事務を処理するのではなく、各州が区域内の市町村の間の財政調整を行うことになる。将来的には各市町村も財政運営の自立を目標とするが、当面は州単位で市町村間の財政調整制度を運用することになる。

市町村の間における財政調整は、急激な変化による混乱を避けるため、最初の段階では州が地方交付税制度を引き継ぐことになるだろう。その後の制度改革は、次のように進められるのが望ましいと考える。

まずは地方交付税交付金の計算方法の改善だ。普通交付税は「基準財政需要額」から「基準財政収入額」を引いて計算される。基準財政需要額は、自治体の財政需要を合理的に測定するために算定される額で、計算方法は「単位費用（法定）×測定単位（国勢調査人口等）×補正係数（寒冷補正等）」である。各項目の計算方法が非常に複雑なことで知られる。単位費用や補正係数は単純化し、地域の実状に応じた算定式を設定しなければならない。

【図5】 中央政府から道州政府への財源移譲のイメージ

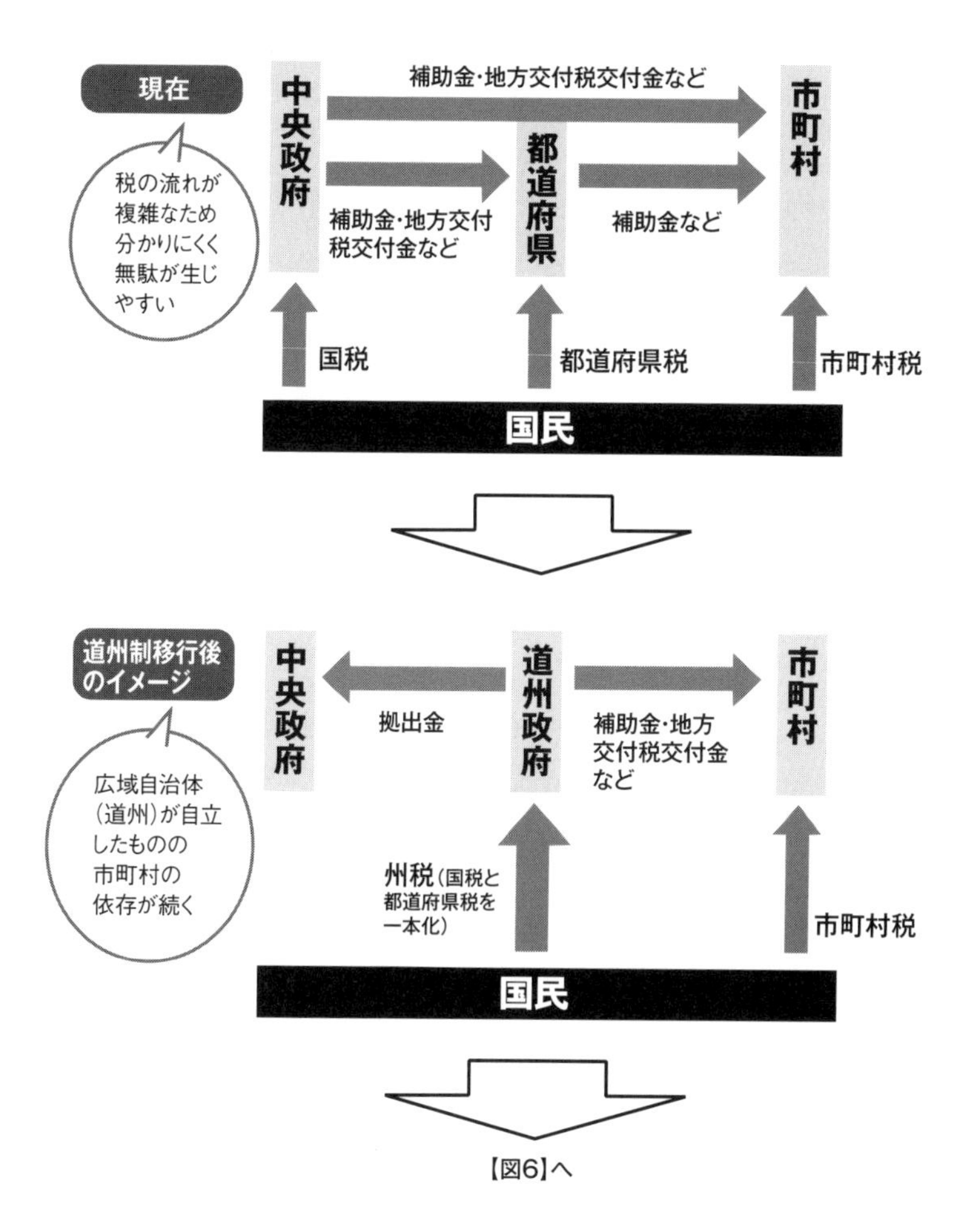

また事業費補正による地方債元利償還保障も大きな問題だ。これは総務省が認めた事業に対し、将来発生する元利償還費の一定割合を基準財政需要額に算入できる仕組みで、歳出の膨張や地方債の累増を招いている。形を変えた補助金というのが実態であり、財源移譲に合わせて廃止するのが望ましい。

市町村間における財政調整の本丸は財源移譲だ。財政調整は極限まで縮小し、全ての自治体の財政的自立を目指す。現行の都道府県税の直接税を州税の直接税とする案を示したが、将来的にはこれら州税を市町村の規模に応じて市町村税に段階的に移行し、市町村の独自財源とするべきだ。【図6】

政令指定都市や中核市など、一定の条件を満たした市へ先行的に認めるとともに、規模の小さい自治体には自主財源による財政運営の魅力を啓発しながら、隣接自治体との合併を促していく。市町村合併が住民サービスの低下につながるとの懸念もあるが、地域コミュニティー等による市民協働がそれを補完することになる。

州の間における財政調整はどうするか。一つの案として「共有資源管理分担金制度」の導入を提示したい。共有資源管理分担金は、農地や山林など公共的価値が高い私的財が、その地域に限らず国全体の環境保全に役立っているとの観点から、農地山林等の適切な維持管理を促す目的で、

【図6】 市（町村）の財政的自立のイメージ

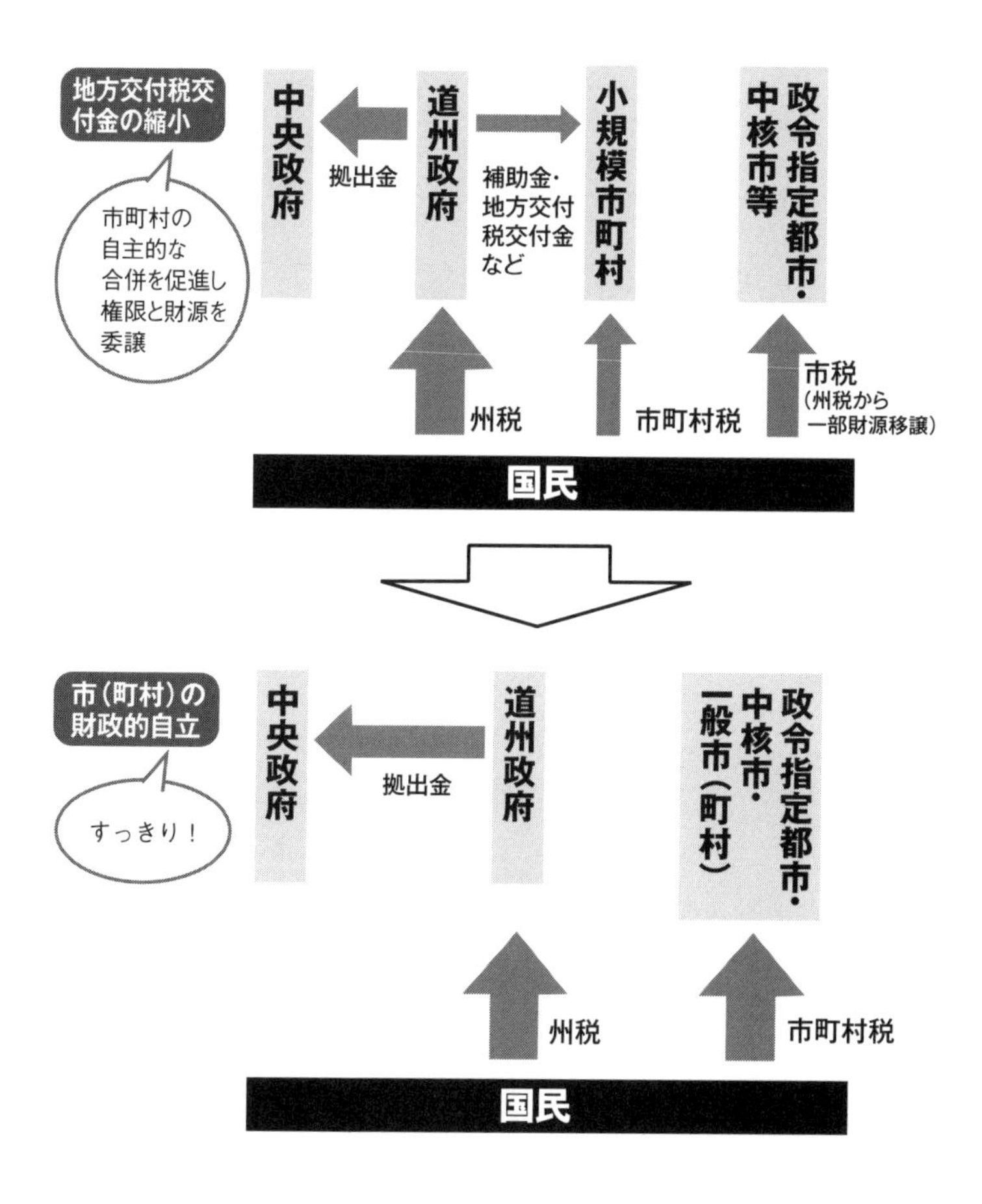

市街地面積の割合が高い州から農地山林等の面積の割合が高い州へ、財源移転を図るものである。農地山林等の維持管理と同時に、州の間の財政調整の機能を果たすことにもなる。

農地山林等は空気の浄化や水と食料の源、また安らぎの場として、国民全体に恵みをもたらす土地であり、私的財ではあっても公共の資源と言える。したがって、都市部の住民もその持続的な維持管理に責任の一端を負うものとし、州の境を越えて維持管理費を分担し合う趣旨である。

都道府県を再編統合すれば、様々な分野における格差は現在の市町村や都道府県のレベルを超えるケースも生じることが予想される。面積が広く人口密度が低い地域は特に、循環資源の管理費用がかさむ。農業や林業など一次産業の従事者が急速に減少している中、農地山林等を多く抱える県が一つになるメリットはほとんどなく、衰退と消滅をわずかに先送りする効果しかない。

そこで、若者の一次産業就業率を高め、循環資源を適切に管理・活用するための事業に、共有資源管理分担金を充てる。共有資源管理分担金による財政調整の仕組みを単純化して表すと以下のようになる。計算方法の大まかな枠組みとして、初めに国民一人当たりに必要な農地山林等の面積を設定する（A）。次に州ごとに、州土における国民一人当たりの実際の農地山林等の面積を算定する（B）。A＞Bとなる州は面積の割合に応じて分担金を国庫に納め、中央政府はA＜Bとなる州に面積の割合に応じて配分する。新たな国民負担は発生しない。**【図7】**

ただしこれだけでは、都市圏住民に不公平を感じさせている現行の地方交付税とほとんど変わ

【図7】 共有資源管理分担金のイメージ

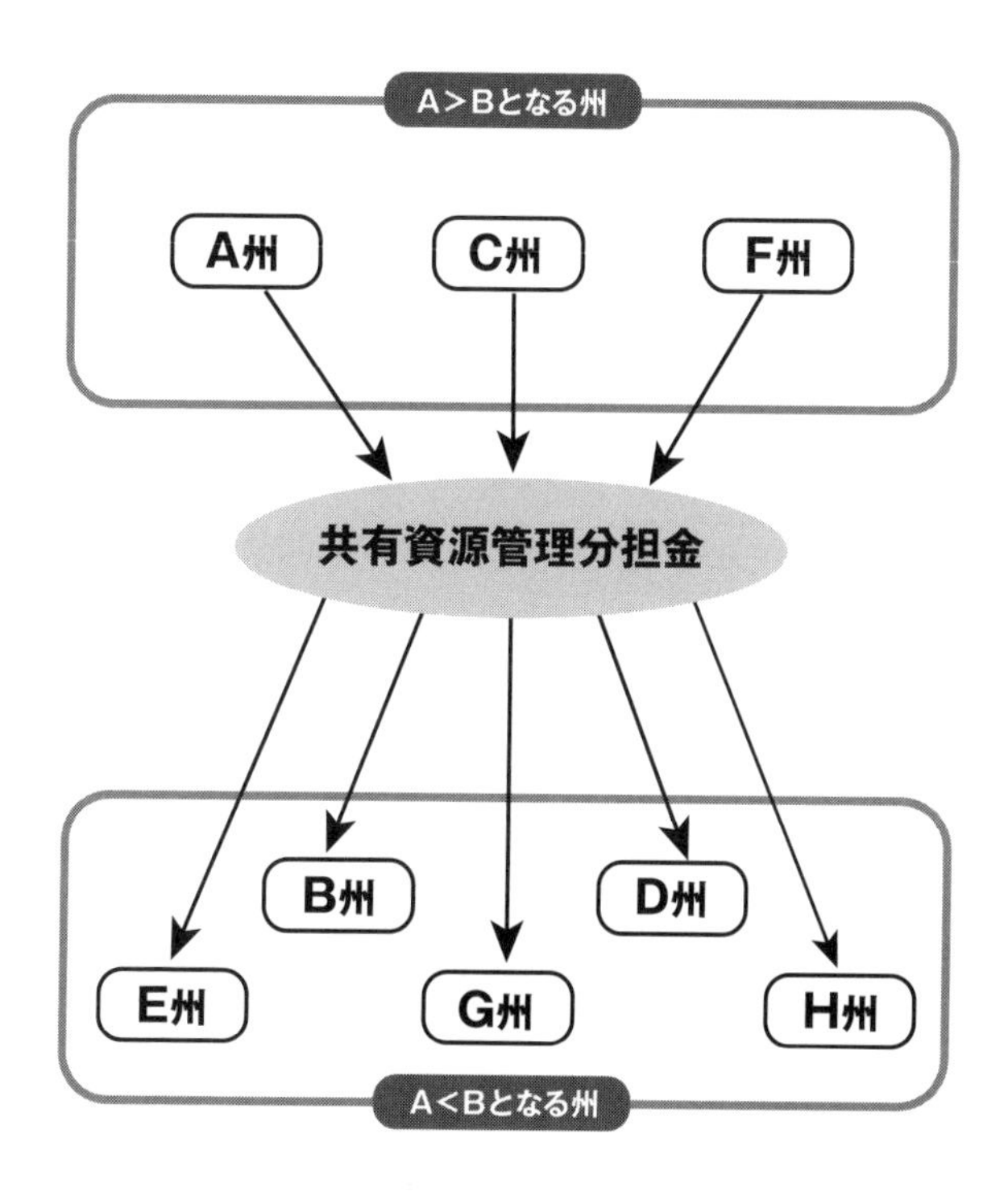

りはない。したがって農地山林等、算定の基準となる土地の維持管理状況は定期的に調査と公表を行い、場合によっては他州からの査察を受け入れる。費用対効果が一定の水準に達しない場合は、翌年度の配分金を減額するなどのペナルティーもあり得るだろう。逆に費用対効果が上がれば、食料自給率の向上や自然環境の保全、国産木材の安定的供給など、国民全体にとっての利益につながる。使途を限定することで、自助努力の阻害も避けられよう。

道州制移行後の中央政府と道州の予算規模の合計は、現行中央政府と47都道府県の予算規模の合計より縮小されることが予想される。広域自治体の再編統合による経費削減の効果は、毎年最大10兆円程度との試算もあるが、令和2年度予算の公債費約32・5兆円には遠く及ばない。仮に全国を八つの州に再編統合した場合、州が差額の22・5兆円を等分で負担すれば、一州当たり2・8兆円の財源不足となる。

財源不足にとどまらず、現行の都道府県債は道州政府に引き継がれることから、各州は発足時から財政の圧迫に直面するだろう。しかし長期的に、中央からの権限移譲や人口の分散化などの効果によって、赤字は縮小することが見込まれる。

さらには、大きな政府を志向する州もあれば小さな政府を志向する州もある、多様な州政運営が展開されることが理想だ。**住民が地域間競争の結果をよく見比べて、適切な人物を次のリーダー**

に押し上げれば、地域経済が安定成長に転じることも決して夢物語ではないと考える。

なお道州債は国債に準じ、中央銀行が直接引き受ける財政ファイナンスを禁止すべきだ。また、中立的な観点から財政状況等を管理・評価するＩＦＩ（独立財政機関）の設置も急務である。ＩＦＩは中央に設置し、各州が事務を委託するのが望ましいのではないか。

中央政府の運営資金はどのように工面するのか。これまでの交付金や補助金は、中央から自治体へ交付される流れだったが、中央の財布を分割した後は、各州が中央へ運営資金を拠出する流れとなる。

具体的には、中央政府が一年間に処理する事務経費を予算案として国会に提出する。国会では衆議院と参議院の委員会でそれぞれ事業の必要性から適切性まで議論し、原案や修正案を本会議で採決し、可決成立した案がその年度の予算となる。

可決後ただちに各州は負担金を国庫に納める。通常国会で3月までに成立させ4月1日から執行するスケジュールを想定するが、いずれにしても会計年度の初日に間に合うように納めなければならない。

負担金の計算方法は法律で定めるものとする。例えば、総額の三分の一を八州で八等分し（均等割）、三分の一をある時点における州人口に比例させ（人口割）、三分の一を州税の課税総額に比例させる（税額割）などの計算方法が考えられる。直接税ではないが国民の間に不公平感が生じないよう、計算方法は国会で議論を尽くして決定し、その後も常に改善に努めることになるだろう。【図8】

年度途中で資金の不足が予想された際、臨時国会を開催して補正予算を成立させなければならない。この場合、不足することを予想できなかった国会にも責任がある。内閣は不足した理由を丁寧に説明し、委員会で不足した原因の分析や補正後の財政適正化の対策などを確認し、本会議で成立させることになる。

国会で本予算や補正予算が成立するたびに各州が補正を組み、議会で審議していたのでは、急な支出に対応できないケースも起こり得る。その対策として、道州政府は年度当初に中央への負担額の概算を算出し、国庫拠出積立金として積み立てておく。積立金が枯渇した場合は、州知事の専決処分で補正予算を成立させる。これで迅速な対応が可能になる。参議院の議席は各州の代表が預かっているので、拠出金の使途に対する州の意見は必ず届けられるだろう。

国債はどうするか。これまで公共事業や経済対策、社会保障などを理由に未来の国民へ負担を先送りしてきたが、それらの事務は中央から地方へと移管される。**国債の新規発行は制度上は可能であっても、借換債以外の発行は行わない**ようにするべきだ。財政という社会資本を適切に管理できず、将来に莫大なツケを残した中央政府には、そのくらい厳しい対応を取らなければなら

【図8】 中央政府への拠出金のイメージ

仮に国家予算を30兆円とした場合、
均等割、人口割、税額割はそれぞれ10兆円となる

● 州の均等割額＝10兆円 × $\frac{1}{\text{州の数}}$

● 州の人口割額＝10兆円 × $\frac{\text{州の人口}}{\text{国の人口}}$

● 州の税額割額＝10兆円 × $\frac{\text{州税額}}{\text{全州の州税額の合計}}$

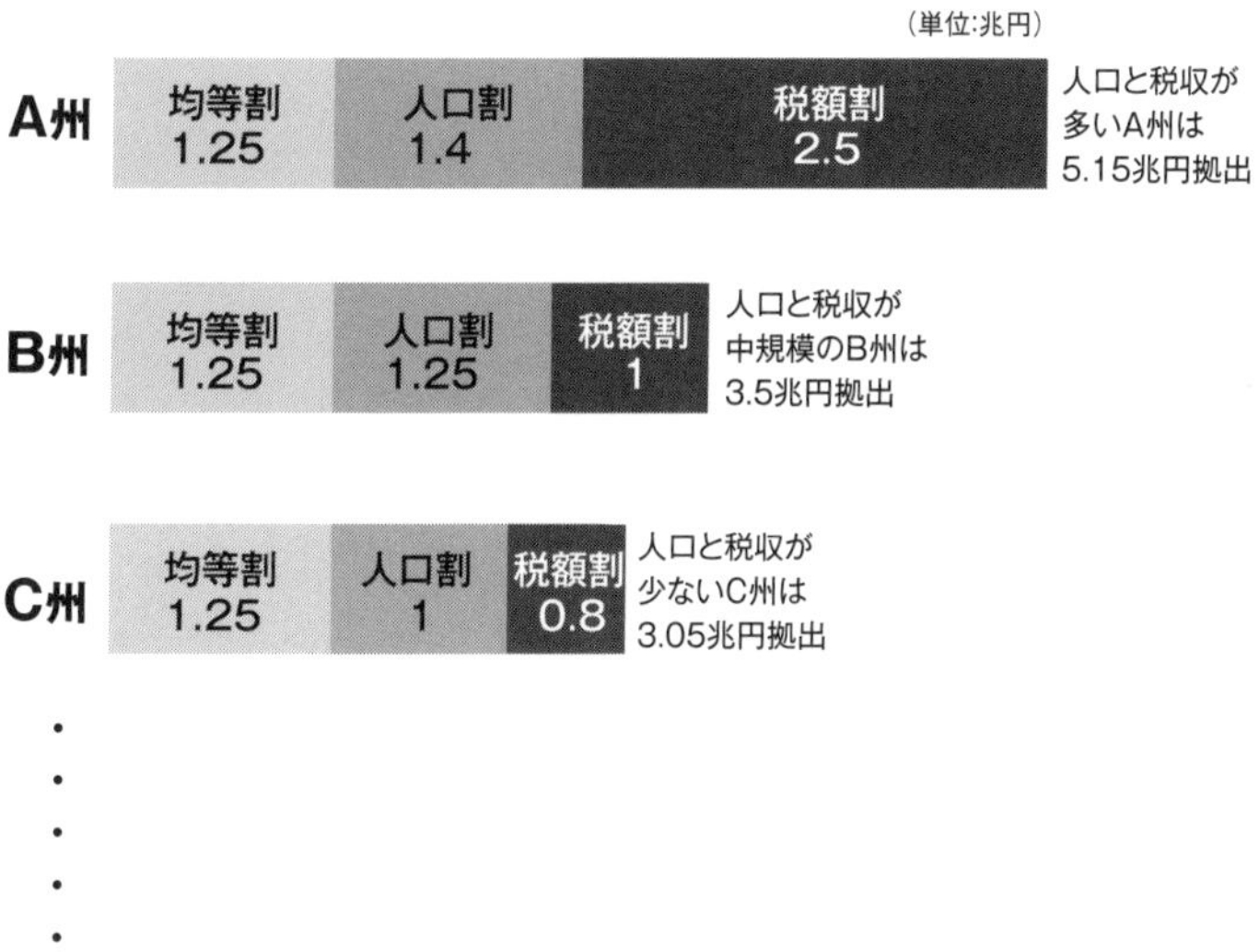

（単位:兆円）

	均等割	人口割	税額割	
A州	1.25	1.4	2.5	人口と税収が多いA州は5.15兆円拠出
B州	1.25	1.25	1	人口と税収が中規模のB州は3.5兆円拠出
C州	1.25	1	0.8	人口と税収が少ないC州は3.05兆円拠出

・
・
・
・
・

ない。

◆第4節　移民政策の是非

人口減少の問題を手っ取り早く解消するための手段として、海外から人を受け入れるという選択がある。平成20年6月、自民党の外国人材交流推進議員連盟は「日本型移民政策の提言」を公表した。自民党国家戦略本部はそれを受け、日本型移民国家に向けた報告書を当時の福田康夫総理大臣に提出した。報告書の内容は、五十年間で一千万人の移民を受け入れるというものであった。

既に日本経済は外国人労働者の存在に完全に依存している。在留資格別外国人労働者の数は、平成20年が48・6万人であったのに対し、令和元年10月末現在は165・9万人と、この期間で約3・4倍に増加した（厚生労働省「外国人雇用状況」）。日本の若者は肉体労働を避ける傾向が強まっており、外国人労働者がその穴を埋めている。依存していると言っては失礼で、支えてもらっていると表現するのが正しいのかもしれない。

それでも移民に対する国民の抵抗感は根強く、政府は外国人技能実習生などの制度で対応している。技能実習生制度は途上国発展のため知識・技術の伝達を目的とし、在留期間に最長五年という制限が設けられるものだ。それとは別に、人手不足が深刻な産業分野での人材確保を目的とする特定技能制度がある。特定技能1号は家族の帯同が原則として認められないが、令和3年に新設される特定技能2号は、取得すると在留期間の上限がなくなり、配偶者と子には日本での在留資格が認められる。実質的に移民と変わらない。

外国人労働者の増加や移民に対する不安はどのような理由によるものか。日本労働組合総連合会が実施した「外国人労働者の受入れに関する意識調査2018」が参考になりそうだ。このアンケートには、地域で暮らす外国人住民が増えることが「よくないこと」だと考える理由を尋ねる設問がある。選択肢（複数回答形式）は①文化・習慣の違いがあるから、②地域の環境（治安など）にマイナスの影響があると思うから、③外国人住民が増えることに漠然とした不安を感じるから、④外国人住民を受け入れるより、まず日本人が住みやすい環境を整備する必要があるから、⑤言葉の壁があるから、⑥公共サービスの多言語化対応など、環境整備が必要であるから、などである。これらをマイナスの影響と考える人が多いと分析した上での設定だろう。

①ないし⑥から何が見えてくるだろうか。④と⑥は「資源」の課題と捉えられるし、①と⑤は「文化」の課題である。②は「自治」の課題であり、③は「幸せ」の課題に位置づけられよう。つまり「資源を奪われないか」「文化を壊されないか」「自治を乱されないか」「幸せを害されな

いか」という、パトリズムの四本柱への危機感が、移民を忌避する感情の裏側にあるということではないか。

確かに日本社会の一員として暮らすことになる外国人の側にも、公共財の適切な管理に参加する努力が求められよう。しかしそもそも日本社会全体がそのことを守ってきたと言えるのか。公共財の中に適切に管理されていないものがある実状は、これまで指摘してきたとおりである。自分たちがしてこなかったことを移民にだけ求めるというのは、国際人としていかがなものか。

人口を増やすことが目的なら、移民を受け入れることには反対だ。しかし**日本人として日本に身を置きたいと願い出る外国人がいれば、受け入れる度量を持つことも必要**ではないか。私たちが公共財の適切な管理を実践してさえいれば、そのような外国人との共生も決して難しいことではないはずだ。

むしろ危惧すべきは、豊富な経験や能力を積んだ、そして何より親日感情を持つ外国人材から、日本が見放されることだ。これから経済の規模がどのように推移しようと、内向きで閉鎖的な社会にならないために、**共生や寛容といった価値観を大切にしていかなければならない**。

外交において基本となるのは、相手が大国であろうと発展途上国であろうと、互いを自立した対等な関係として尊重し、話し合いによる課題解決に最大限努める姿勢である。自立と対等は経済面にも安全保障面にも言えることで、他国に依存している分野があれば、影響を最小限に抑えながら改善しなければならない。

パトリズム、実践的郷土愛は人類普遍の理想となり得る考え方である。**郷土における公共財を隣人と共同で適切に管理する実践的姿勢を人類が尊重し合えれば、環境破壊や紛争を抑えることは可能**であるはずだ。自分の郷土が破壊されることを望む者はいないのだから。

◆第5節　外交と安全保障

東アジアに位置する日本にとって中国との関係をどう構築するのかは、いつの時代においても常に最重要課題であった。中国大陸の歴代王朝と日本との外交上の距離感は、数千年に及ぶ歴史の中で常に変化してきた。１９４９年に中華人民共和国が建国されてから今日までの短い期間だけを見ても、日中共同声明の調印から日中平和友好条約の締結にかけての融和が強まった時期もあれば、中国公船による尖閣諸島周辺への領海侵犯をめぐって緊張が高まっている時期もある。

トランプ政権以降、チベット、ウイグル、香港などにおける深刻な人権侵害を理由に、アメリ力と足並みをそろえて中国政府を批判すべきという国内世論の高まりがある。中国の２０２１年度の国防予算は約1兆３０００億元（日本円で約20兆３０００億円）と、11年度から十年間で約２・３倍に増加している。また21年1月には、中国の管轄海域及びその上空において海上権益擁護、法執行活動を展開できると規定する中華人民共和国海警法が制定された（防衛省「令和３年版防衛白書」）。中国への警戒感が高まるのはもっともだ。

しかしいくら対立が深まっても、両国が目指すゴールが共存共栄であることは間違いない。その過程で日本政府は中国政府に対し、国際法の遵守や国防費等の透明性の向上、人権尊重や地球環境への配慮などを粘り強く求めていかなければならない。同時に日本自身も、それらの課題に責任を持って取り組まなければならない。

最大の懸案は台湾の位置づけだ。日本は１９７２年に調印した日中共同声明の中で、台湾が中華人民共和国の領土の不可分の一部であるという中国政府の立場を十分理解し、尊重し、ポツダム宣言第八項に基づく立場を堅持するとしている。なお、共同声明調印時の総理大臣は田中角榮である。

共同声明に法的拘束力はないが、道義的な拘束力を持つとされる。時代が移ろうと政権が代わろうと、引き継がれなければならない。もし日本政府が台湾の独立を支持すれば、中国政府側に対抗措置への大義名分を与えることにもなる。台湾への武器売却を加速したトランプ政権時、国防総省の公式報告書に台湾が国家と明記されたが、アメリカと日本とでは立場が異なることを認識しておかなければならない。

台湾から自由と民主主義が奪われ、第二の香港となっては、国際社会にとって大きなマイナスである。中台両岸の発展が今後も続くよう、いたずらに中国政府を刺激することを避け、地域の平和と安定に努めるのが大国の責任であることを説き続けるべきだ。

2021年現在、日韓関係は戦後最悪の状態にあると言われる。日韓間の財産及び請求権の問題は、1965年の日韓請求権・経済協力協定で「完全かつ最終的に」解決済みであると合意され、また2015年の日韓外相会談における合意により、慰安婦問題の「最終的かつ不可逆的な解決」も確認されている。さらには1995年にアジア女性基金を設立し、2016年には韓国政府が設立した「和解・癒やし財団」へ10億円を支出するなど、日本政府は元慰安婦の現実的な救済に向けて最大限に努力してきた。しかし文在寅の大統領就任以降、韓国側が両国政府の公式合意を着実に実施していないのが現状である。

こうした対立が続くのは悲しい限りであるが、両国の対応を中立的に比較しても、やはり非は韓国政府側にあると言わざるを得ない。竹島の不法占拠問題も含め、国際法や二国間合意にのっとり、平和的に解決するための外交努力を続けていかなければならない。

北朝鮮との間に横たわる拉致問題について、解決に向け具体的な行動をとらなければならない。現在、日本政府が認定している日本人拉致事案は12件17人であり、そのうち12人がいまだに帰国していない。北朝鮮は、12人のうち8人は死亡し、4人は入境を確認できないと主張している。

北朝鮮による日本人拉致事件は、1970年代を中心に実行されたという。日本政府は88年に拉致事案を初めて認めたが、積極的に解決の努力をしてきたとは言い難い。2002年に小泉純一郎総理大臣と金正日国防委員会委員長との会談が行われ、北朝鮮側が生存を認めた5人の拉致被害者が日本へ帰国した。しかしその後は大きな進展が見られないまま現在に至る。

いかんせん日本人拉致が実行された時代から約半世紀という長い時間が経過している。計画の立案や指揮をした責任者のほとんどは、既にこの世にいないのではないか。日本側は、全ての拉致被害者の安全の確保と即時帰国、真相究明と実行犯の引渡しを北朝鮮側に強く求めているが、北朝鮮政府にその能力がないことを想定しているようには見えない。国際社会と連携しながら拉致問題解決を図るとは言うものの、事態は膠着したまま時間だけが経過し、拉致被害者家族も次々に亡くなっている。

拉致問題の真相究明のためには、日本側の調査団を北朝鮮に入国させ、北朝鮮政府の協力の下に共同調査を行うことが必要である。しかし現在、それを実現できる環境は整っていない。まずは北朝鮮側の警戒心を和らげるため、日本側が行動を起こすべきではないか。そのためにも中国や韓国との連携は不可欠であり、アメリカの意向に左右されない自立性が求められる。

当事者以外の国が拉致解決のためだけに動くことは期待できないし、北朝鮮側からの動きを待っていても進展はないだろう。そこで日朝両国が常に連絡を取り合える小さい窓を開くため、民間人による観光をはじめとする自由な往来の解禁に向けて、日本政府側から働きかけてはどうか。

アメリカの研究機関イースト・ウエストセンターが2018年に公表した調査結果によると、北朝鮮と国交関係がある国はイギリスやドイツなど163か国に及ぶという。日本は経済制裁を続けてはいるが、締めつけの効果が低下してきていることは否めない。むしろ北朝鮮の現状について得られる情報は極めて少なく、デメリットの方が大きくなっているのではないか。

日本人拉致は許せないという感情は誰にでもある。一飛びに国交正常化となると、国民感情も容認できないだろう。したがって、まずは小規模な人的交流から始めるべきと考える。北朝鮮の一般人民は日本人拉致の真実など知らないため、互いに実状を知るよいきっかけになるのではないか。民間人同士の交流が進めば、北朝鮮政府も日本との交流のメリットに気づくはずである。政府間で恩讐を越えるには時間がかかることが予想される。それでも何もしないよりは、真相究明の実現性はずっと高まる。

私は自分自身が北朝鮮を訪問することに積極的な考えだ。もちろん相手方が入国を認めることが前提となるが、拉致問題の真相解明と被害者全員の帰国のため、北朝鮮側の警戒心を和らげることに少しでも貢献できればと思う。

外交における最大の難題はアメリカとの関係だ。もし戦後レジームからの真の脱却を目指すのであれば、日米関係の適正化こそがその本丸である。安倍晋三前総理大臣は憲法改正を本丸と捉えているようだが、アメリカのために日本人に血を流させる憲法改正を国民は望んでいない。自由と民主主義を守るために強力に連携するとしても、互いの自主自立を完全に保障することが前提であるべきだ。しかし現実は、領域内における日本の主権の一部がアメリカによって制限されている。

1960年にアメリカとの間で締結された日米地位協定は、日米安全保障条約の目的達成のために、在日米軍による施設・区域の使用と、日本における米軍の地位について規定するものだ。締結以降一度も改定されておらず、刑事裁判権、米軍の管理権としての基地使用の在り方、環境汚染など様々な問題が指摘されている。

外務省は、地位協定が日本側にとって不利ということはないと説明するが、本当にそう言えるのか。例えば、公務外の事件・事故で被疑者がアメリカ側に拘束された場合、日本側が起訴するまではアメリカ側が身柄を拘束する規定があり、起訴前の身柄引き渡しの判断はアメリカ側の裁量に委ねられている。本来は日本側にある裁判権に例外が設けられているのは、明らかに日本側にとって不利な運用である。

また、沖縄国際大学に米軍のヘリコプターが墜落した際には、米軍が事故の直後に現場を封鎖し、大学の関係者ばかりか日本の警察や消防までもが、現場に入ることができなかった。沖縄県警察は航空危険行為等処罰法違反の疑いで捜査したが、全容解明には至らず時効を迎えた。

東京を含む1都9県にまたがる「横田空域」は、日本の領空であるにもかかわらず米軍が航空管制を握っている。国内法には、航空管制を米軍に委任できる規定はない。地位協定の条文にもない。それを可能としている根拠は、日米合同委員会により1975年に結ばれた「航空交通管制に関する合意」であるという。日米合同委員会は地位協定の実施に関する協議機関として発足したもので、米軍の特権を維持するために多くの密約を生んできたと言われる。

日米同盟は日本の安全とアジア太平洋地域の平和と安定のために不可欠な基礎であり、日本にとってアメリカは安全保障上の最も重要なパートナーである。ただし双方が対等な関係であることが大原則である。しかし実際は裁判権、移動の自由、経済活動の自由などに一方的に制限がかけられる不平等な関係だ。沖縄県知事を務めた翁長雄志が「日本国憲法の上に日米地位協定があり、国会の上に日米合同委員会がある」と嘆いていたとおりである。

日米合同委員会は、米軍が日本国内で占領期と同様の行動を可能にするための機関だという指摘もある。同じ敗戦国でもドイツとイタリアは、政府が民意を受けてアメリカと交渉し、地位協定の改定を実現することができた。日本政府も主権が侵害されているに等しい状態を解消するために、これまで非開示としてきた関連する公文書を全面的に公開し、地位協定の抜本的な見直しをアメリカ側に強く働きかけていかなければならない。

これからの時代の日本は、ヨーロッパとの連携を今まで以上に強めるべきと考える。自由や民主主義といった価値観はアメリカとも共有することができるが、まちづくりの観点からは中心市街地からの自動車排除や交流空間の整備、また安全保障の観点からは軍と警察を統合したカラビニエリの設置など、ヨーロッパには地方分散型国家として先進モデルを示す事例も多い。

拡大期の日本はアングロサクソン型の競争原理、小さな政府、自己責任主義の下で繁栄を手に入れた。縮小期に入っても国民の幸せな生活を守るためにはヨーロッパ、特に北欧型の、貯金がなくても最低限のサービスを受けられる高負担高福祉社会からヒントを得るべきではないか。

人類の歴史でいち早く産業革命を起こし、近代化に成功したのもヨーロッパだ。その半面、地球上の土地を切り分けて現地の住民を虐殺したり強制的に労働させ、また略奪した土地や植民地から資源を奪ったり、固有の文化を亡ぼしたりと、決して消せない負の歴史も併せ持つ。そのような帝国主義に最後に飛び乗ったのが、アジアでは唯一大日本帝国であった。

ヨーロッパ諸国は植民地主義への反省から、世界人類の福祉向上に向けて人道支援を行ったり、人権擁護や国際協調のための取組みを積極的に展開している。日本の行動や努力も決して彼らに劣るものではない。

しかしエネルギー分野では、ヨーロッパに比べて再生可能エネルギーへの転換が遅れているのが現状だ。２０２０年における電源構成を国別に見ると、再生可能エネルギーの割合はデンマーク82%、スウェーデン69%、ポルトガル60%、ドイツ47%など、ヨーロッパ諸国は比較的高く、日本は22%にとどまる。この数値は中国の29%よりも低い。また、温室効果ガスの排出につながる石炭・石油・天然ガス発電の合計は、スウェーデン０%、フランス９%、デンマーク15%、スペイン32%などであるのに対し、日本は74%と非常に高い割合だ。なお原子力発電は、デンマーク、アイルランド、イタリア、ポルトガルが０%で、ドイツ11%、イギリス15%である（IEA, Monthly Electricity Statistics)。

毎年のように発生する豪雨災害や異常な高温などにより、気候変動の脅威は日本国内でも実感されるレベルに高まっている。海外では地を焼き尽くすほどの大規模な山火事も多発し、大地が燃えている光景は地球文明の終焉さえ思わせる。日本は一足先に経済成長の恩恵を受けた先進国として、ヨーロッパ諸国とともに温暖化阻止に向けた具体的な行動をリードしなければならない。

地球的課題に対する連帯の意識を共有できれば、いつか困難な状況に置かれた時、物理的な距離はあろうとも真の友情が発揮されるだろう。**利害ではなく純粋な地球愛で連帯できる友人を増**

やしていくことも大事だ。

今後も軍事分野での安全保障を縮小することは難しいが、資源強奪の手段は軍事分野から経済分野へと移りつつある。武力攻撃は双方の兵士に犠牲者が出るばかりか、強奪の対象である資源にも損害が生じることがあるため、代償が大きい手段と言える。一方、情報通信技術や資本提携などを利用して果実を奪うことができれば、物理的な損害が生じないため効率よく成果を上げられる。

かつては外国の情報機関が政府の機密情報を盗み出すケースが主流であったが、昨今のターゲットは政府や企業が保有する先端技術であるという。こうした世界情勢への危機感から、令和2年4月1日、NSS（国家安全保障局）に経済分野を専門とする「経済班」が発足した。先端技術を持つ日本企業が外国企業に買収されることを想定し、軍事転用可能な技術の流出を防ぐため、人工知能や量子技術などのノウハウを持つ企業の把握や情報の管理などの業務を担当する。

経済や産業の振興は補完性の原理に基づき地方が役割を担うことを原則とするべきだが、経済分野における安全保障については、地方と連携を取りながら、中央が一元的に管理するのが望ましいと言えるだろう。

◆第6節　皇室

令和元年に皇位を継承した今上天皇は、初代神武天皇から数えて第百二十六代の天皇である。古代には、いまだ科学的に実在が証明できない天皇もいるが、現時点において世界の王朝の中で最も長く続いている系統であることは間違いなく、しかも男系継承という原則が完全に守られてきている点で稀有な存在だ。日本国憲法と皇室典範により、皇位は男系の男子によって世襲されることと定められている。つまり皇族の父親を持つ女子にも、皇族の母親と民間人の父親との間に生まれた男子にも、皇位継承の資格は認められていない。

今上天皇には男子がなく、より若い皇位継承資格者は弟の秋篠宮皇嗣殿下と、その子の悠仁親王殿下の2人しかいない。もし悠仁親王殿下に男子が生まれなければ、皇統は途絶えてしまうことになる。

そのことは将来、悠仁親王殿下と結婚したおきさきに、非常に重い重圧をかけることを意味する。子供はまだか、男の子か女の子か、次の子はいつかと、メディアを通して全国民の注目が、一人の女性の出産に集まるのである。並の人なら精神的に追い込まれるだろう。このような重圧を覚悟してまで、おきさきになる人は現れるだろうか。

安定的な皇位継承について議論する政府の有識者会議は、令和3年7月に開かれた第十回会合で、①女性皇族が結婚後も皇室に残る案と、②戦後に皇籍を離脱した旧宮家の男系男子が養子縁組して皇籍に復帰する案の二案を決定した。しかし①は、結婚後の女性皇族が皇籍にとどまった例が過去にないばかりか、もし男子が誕生しても女性皇族から生まれた子に皇位継承資格はないため、安定的な皇位継承にはつながらない。また②については、皇族ではない身分として生まれた男系の男子が皇籍に入って即位した、第六十代醍醐天皇の例がある。しかし天皇に即位するために養子縁組を行った例はない。

皇族の父親を持つ女子が即位する女性天皇や、皇族の母親を持つ子が即位する女系天皇を認めるべきとの声もある。歴史上、女性天皇は第三十三代推古天皇から第百十七代後桜町天皇まで、八人十代の例があるが、どの女性天皇も、男子の皇位継承者が幼少であるなどの事情による中継ぎとしての即位だった。また全員が独身（死別または未婚）で即位し、譲位した後も独身を通したため、その子が即位した女系天皇の例は皆無である。したがって女系天皇は安定的な皇位継承どころか皇統の断絶を意味するし、男系男子皇族が少ない中での女性天皇は、皇統断絶をわずかに先送りする一時しのぎでしかない。

一方で、女性が天皇に即位できないのは男女平等に反するという指摘もある。日本において女性が内閣総理大臣に就任した例はないが、制度上は女性総理大臣の就任は可能である。しかし天皇は皇室典範の規定により男性に限られる。

天皇の位置づけは、大日本帝国憲法において「国ノ元首」と定められていた。現行の日本国憲法では「日本国の象徴であり日本国民統合の象徴」とされる。現憲法に国家元首についての規定はなく、元首を象徴天皇とする説、総理大臣とする説、不在とする説などがある。

もし天皇を元首とするのであれば、女子差別撤廃条約の基本理念との矛盾を説明しなければならない。政府は、天皇の地位は条約の対象外との見解を示しており、本音と建前を使い分けているところが日本らしいとも言えるが、説明責任を果たしているとは言い難い。

しかし天皇を三種の神器の継承者としてだけ捉えるのであれば、男系男子による継承は皇室の家法として尊重すべきであり、部外者が意見するのは不適切である。天皇が元首であった期間は大日本帝国憲法が効力を持っていた五十六年間でしかなく、戦後も引き続き実質的な元首であると捉えたとしても百三十年余りでしかない。しかし男系皇族が三種の神器を継承してきた期間は、皇室の歴史が始まってから現在までの全てである。

安定的な皇位継承のためには、**天皇に実質的な元首の地位を退いていただき、芸能や学問に専念されていた江戸時代の位置づけに戻すことが必要**なのではないか。徳川幕府が天皇の行政への関与を禁止したことで、国家分裂の企ては抑止され、安定的な皇位継承と皇室の安泰が守られたという歴史的経緯がある。このことが二百六十五年間にわたる太平の世の基礎になった。

天皇には、現在の御所から京都御所にお戻りいただく。そして学術文化、社会福祉、環境保護などに専念していただき、国事行為は一部を除きご辞退いただく。断っておくが、皇室をないがしろにする意図はない。明治維新から現在まで政府側の都合でお願いしてきた各種のご負担を見直し、様々な制約を外すと同時に、メディアの好奇の目から守るため、伝統に近い形で君臨していただく措置が必要だと考える。

天皇が京都へと戻られることにより、東京は政治の中心であり続ける一方、京都が文化の中心となる。東京一極集中の是正が一層進むことが期待される。

ただし完全な民間人とすることには反対である。**政府から切り離されれば、皇室が持つ歴史と権威が他人から私的に利用されかねない**からだ。現在、皇室の財産の授受について、通常の私的経済行為等の場合を除き、国会の議決を必要としている。その理由は、営利企業など多額の寄附を行った民間団体による天皇の権威の利用を防ぐためと考えられる。皇室と民間との関係に一定のルールは必要であり、ルールを設けるためには皇室を政府の一機関にとどめなければならない。

具体的には、日本国憲法第七条に規定される国事行為のうち、第一号から第四号まで、第五号の前半、第六号及び第七号を削除してはどうか。国事行為を最小限に絞ることで、ご負担は大幅に軽減されるが、政府の一機関としての位置づけは継続される。

外国大使の信任状捧呈式は京都御所で行うことになるだろう。大使たちにとって、移動に時間を要することへの不満より、千年続いた都で式に臨むことへの満足が勝るのではないか。式には外務大臣または他の国務大臣が侍立することになっているが、式が行われた回数は令和元年が28件、令和2年が22件であり、十分に調整が可能な範囲と考える。

法律等の公布権や国務大臣等の任免権を手放すことで、天皇は実質的にも国家元首とはみなされなくなり、日本国の象徴であり日本国民統合の象徴であるという位置づけが明確になる。したがって、三種の神器を継承するのが男性であれ女性であれ、あるいは遠い血筋の男系男子であれ、その方は国家元首ではない。つまり、**伝統的な慣習に従って旧宮家の男系男子が皇位を継承しても、皇室という家族内で決定したこととして、政府や国民は尊重する**ことになる。

旧宮家に皇族へ復帰していただくためには、皇室典範の改正が必要だ。皇室典範は、皇位継承や皇族の範囲など、皇室の伝統的な慣習を成文化した法律である。現行の皇室典範は、皇位継承資格者を「皇統に属する男系の男子（第一条）」と規定する。皇族の範囲を「皇后、太皇太后、皇太后、親王、親王妃、内親王、王、王妃及び女王（第五条）」としているため、旧宮家の男系男子は皇族には含まれず、皇位継承資格も持たない。

旧宮家は昭和22年に皇室典範が改正されるまで正式な宮家であった。旧宮家の皇籍への復帰は、本来の皇室の姿を復元するだけのことである。ただし、長く民間人として生活してきた民間人がいきなり皇族になることには批判もあるだろうから、各宮家の最年少の男子に限るなど線引きが必要だ。

現在の法体系では、皇室典範は憲法の下位に置かれ、他の法律と同様に国会が改正の権限を有する。しかし本来は「皇室の憲法」に相当するものであって、改正には皇室会議の意見が尊重されなければならず、そのことを条文に明記しなければならない。あわせて第二十八条以下の皇室会議に関する規定は、成年に達した皇族を議員の過半数とするとともに、議長を天皇とし、招集権を天皇に付与するための改正が課題である。

皇室の存在は世界人類の宝であり、その安泰のための責任を委ねられているのが日本人である。宝とは資源であり、安泰は適切な管理によってもたらされる。すなわち**日本という郷土において皇位継承の安泰を守ることは、世界人類に対するパトリズムの責務**と言えるのである。

あとがき

令和3年、8月。

昨年は一株であったが、今年は三株の苗を半澤さんから託されている。置き場所を変えるなどの工夫が功を奏したのか、昨年よりも生育の状態が良好に感じられる。幸いにも今年は花が開いている姿を確認できた。間もなく刈取りの季節がやってくる。今年は縄ないの工程がある飾り作りに挑戦したいと考えている。

新型コロナウイルス感染症の感染拡大によって、地域における大小の行事が中止や延期を余儀なくされた。目に見えない脅威を相手にする以上、地域住民との交流の機会が減るのは致し方ないものの、それで住民の負託に十分に応えているると言えるのかと、悩みながら過ごす毎日であった。

在職中に二冊目の著書を刊行できるとは考えていなかったが、様々な分野で出口が見えない状況だからこそ世に問うことがあるのではないか、そのための時間を与えられたと捉えるべきではないかと繰り返し自問自答し、その結果生み出されたのが本書である。

本書は誰かに依頼されて書いたものではない。自分の意思でゼロから書き始めたものだ。本書を書くことを決めたきっかけは、令和2年9月の安倍晋三総理大臣の辞任である。

安倍氏は平成18年9月、戦後生まれとして初めて内閣総理大臣に就任した。当初は私も大いに期待した。よりよい国をつくるための活動を共にしてきた仲間たちは、安倍氏がまだ総理大臣ではなかった頃から「安倍さんが総理大臣になれば拉致問題は進展し、憲法改正は実現する」と語っていた。民主党政権時代には「安倍さんが総理大臣に復帰すれば経済は回復し、危機管理能力は向上する」と語っていた。それらの言葉を疑おうとも思わなかった。

しかし、日本憲政史上最も長い政権が続いたにもかかわらず、重要な課題の多くは前進しなかった。辞任後に残されたのは莫大な借金と、人事や金銭に関する数々の疑惑と、人間が尊重されない社会であった。

自民党に自浄能力は期待できそうもなく、非自民勢力には政権批判以上の役割を果たしてくれそうな期待感が湧いてこない。このまま日本は没落していくしかないのか。私は諦めたくはなかった。原点に立ち返り、戦後日本の失敗は失敗として真摯に反省するとともに、どこをどのように修正すれば未来に責任を果たせるのか、浅学非才の身を顧みず一地方議員の立場から提案することを決めた。

最初の構想は郷土愛、パトリオティズムを定義することであった。第二次安倍内閣以降、急角度で右旋回する自民党に対抗できる、古くて新しい政治思想を示すことが狙いであった。今後も政権を担い続けるのであれば、自民党に郷土や人間を大切にする政治を取り戻してほしかった。

ところが事態はより深刻であった。あからさまに特定の国の国民や民族を攻撃する排外的な運動や、政府は財政赤字を拡大しても債務不履行になることはないというばくちのような言説が、インターネットを媒介し拡大している。また新型コロナウイルス感染症が蔓延する状況の中で、思い込みによる反科学的なデマもたくさん流された。

安倍政権下での自民党の変質と、こうした事象に共通するのは、諸問題の原因を都合のよいもののせいにする無責任さにあるのではないか。自らの行動によって問題解決を図ろうとしない、当事者意識の欠如ではないのか。そうした反省が広く共有されない限り、政策だけ説いても日本の衰退は止まらないだろう。そこで全く新しい政治思想として、主体的な実践を中心に置く「パトリズム」を提唱することに方針を転換した。

自民党政治を批判する上で『日本列島改造論』への論評は避けて通れないと捉えていた。本書を構想するまで読んだことはなかったが、実際に読んでみると想像もしていないことが書かれていた。特に「人間と太陽と緑が主人公となる〝人間復権〟の新しい時代」を理想としている点が、最も強く印象に残った。

高速道路網や新幹線網など公共インフラの整備は、理想を達成するための手段であったはずだ。

しかしこの崇高な理想を自民党は忘れ、自民党に長く支配された官僚機構も忘れ、国民も忘れかけている。人間と太陽と緑が主人公となる社会を創造するのは、お金ではなく人間だ。人間による実践だ。

こうした理由からタイトルを『日本列島修復論』としたが、私としては「反・改造論」ではなく「続・改造論」としてまとめたつもりである。

田中角榮が改造論を発表した昭和47年6月から遡ること一年半、ノーベル文学賞の有力候補者であった日本人作家が自ら命を絶った。三島由紀夫である。

三島は昭和45年11月25日、陸上自衛隊市ヶ谷駐屯地で数百人の自衛官を前に、憲法改正のための決起を呼びかける演説を行い、一人の賛同者も現れないことを見届けて割腹自殺を遂げた。その際にまかれた「檄」とともに、三島が日本人に残した遺言とも言える文章がある。死の約四か月前に新聞に掲載された「果たし得ていない約束」というエッセイである。その末尾はこう締めくくられている。

私はこれからの日本に大して希望をつなぐことができない。このまま行ったら「日本」はなくなってしまうのではないかという感を日ましに深くする。日本はなくなって、その代わりに、無機的な、からっぽな、ニュートラルな、中間色の、富裕な、抜目がない、或る経済的大国が極東の一角に残るのであろう。それでもいいと思っている人たちと、私は口をきく気にもなれなくなっているのである。

三島には、自らが死んだ後の日本の姿がはっきりと見えていたようだ。

三島が言う「それでもいいと思っている人たち」とは、どういう人たちだろうか。同じエッセイの中で、政治家は「実際的利益を与えて約束を果たす」と表現されている。それよりも「もっともっと大きな、もっともっと重要な約束」を「果たしていない」自分を責めていることから、実際的利益という約束は小さいものであり、そういう約束しか果たし得ない政治家のような立場の人らと「口をきく気にもなれなく」なったのだと推察される。また、利益で国民をうれしがらせ、何かをしてあげる政治が続けば、日本はなくなり、ある極東の経済的大国だけが残ると予想したように受け取れる。

三島にとって、もっともっと大きく重要な約束とは「愛する歴史と伝統の国、日本」を「骨抜きにしてしまった」憲法の改正であった。檄文は「憲法に体をぶつけて死ぬ奴はいないのか」と、強い表現で自衛官に呼びかけている。

それではなぜ憲法を改正しなければならないと考えたのか。防衛力の増強という視点からは三島は改憲を訴えていなかった。最も伝えたかったことは、檄文の次の部分に集約されている。

われわれは戦後の日本が、経済的繁栄にうつつを抜かし、国の大本を忘れ、国民精神を失い、本を正さずして末に走り、その場しのぎと偽善に陥り、自ら魂の空白状態へ落ち込んでゆくのを見た。政治は矛盾の糊塗、自己の保身、権力欲、偽善にのみ捧げられ、国家百年の大計は外国に委ね、敗戦の汚辱は払拭されずにただごまかされ、日本人自ら日本の歴史と伝統を潰してゆくのを、歯噛みをしながら見ていなければならなかった。

自衛隊にだけは「真の日本人、真の武士の魂」が残されている。そう夢見て、目覚めよ、自主自立のために行動せよと働きかけたのだ。三島は憲法に体をぶつけたが「御都合主義」や「国の根本問題に対して頬っかぶりをつづける自信」を打ち砕くことが、彼が憲法改正の先に見た到達点ではなかったか。そうだとすれば角榮も改造論も、三島の体当たりの対象だったことになる。だが彼の演説がその場にいた自衛官たちに理解されることはなく、三島は割腹自殺という形で責任の取り方を実践したのであった。

本書は憲法第九条の改正について是非を示してこなかった。自衛隊の存在を憲法に明記することは必要であると思う。しかし同時に、身近な公共財の適切な管理さえ当事者として実践できないようでは、憲法第九条を改正したところで何も改善しないだろうとも思う。どんなに強い武器を持ち、硬い鎧を着ていても、中にある肉体が貧弱では立っていることさえおぼつかない。

肉体は黙って待っていては衰えるばかりで、自ら動くことによって強化されるものだ。国にとっての肉体とは国民にほかならない。国民が主体的に地域に関わり、公共財の適切な管理を実践することで、日本は美しくしなやかな肉体を修復できると確信する。


地域住民の皆様との日々の交流がなければ、パトリズムという概念は生まれることはなかったでしょう。貴重な経験の機会を与えていただいていることに感謝の意を表します。住民からの要望を名取市役所をはじめとする行政機関に伝える際には、忙しく働く職員に数々の質問を行ってまいりました。丁寧で誠実な説明から得られた知識は多岐にわたります。職員の皆様にもお礼を申し上げたいと思います。

道州制研究の大家である江口克彦先生から、本書への推薦文を頂戴するという栄誉に浴したことは、私の人生における奇跡であり、そのことへの感謝は言葉に表せません。研究の集大成である『地域主権型道州制の総合研究』を筆頭に、先生が発表されたあまたの作品は「平成の日本列島改造論」にも位置づけられると捉えています。初当選の直後に報告の挨拶に伺い、激励のお言葉とともに同書を頂いた時、私の政治活動の方向性は揺るぎないものに定まりました。微力ではありますが精進を重ね、研究を実行に移すという政治家の使命を果たしてまいる所存です。

私が市議会議員に立候補するよう背中を押してくださった谷口誉典様からは、本書の執筆を続けている間に数々のご助言やご指導を頂きました。また、あさ出版編集部のご担当者様には、編集作業に当たり、私のこだわりを最大限に尊重していただきました。お二人がいなければ本書を世に出すことはできませんでした。満足のいく作品に仕上がったことを感謝申し上げたいと思います。

本書において、様々な分野で高い功績を残された諸先輩方のお名前を記載する際、国籍や生きた時代、職業や身分などにかかわらず、敬称を省略する形で統一させていただきました。ここにその無礼をお詫び申し上げますとともに、ご海容くださいますようお願い申し上げます。

名取市議会議員　吉田　良

主な参考文献

『日本列島改造論』田中角榮 著　日刊工業新聞社　1972年
『財政爆発』明石順平 著　角川新書　2021年
『経済成長神話の終わり』アンドリュー・J・サター 著　講談社現代新書　2012年
『欲望の経済を終わらせる』井手英策 著　集英社インターナショナル新書　2020年
『TOEIC亡国論』猪浦道夫 著　集英社新書　2018年
『自動車の社会的費用』宇沢弘文 著　岩波新書　1974年
『社会的共通資本』宇沢弘文 著　岩波新書　2000年
『【図解】地域主権型道州制がよくわかる本』江口克彦 著　PHP研究所　2009年
『地域主権型道州制 国民への報告書』江口克彦監修　PHP研究所　2010年
『地域主権型道州制の総合研究』江口克彦 著　中央大学出版部　2014年

『スモール イズ ビューティフル再論』E・F・シューマッハー著　講談社学術文庫　2000年
『大佛次郎エッセイ・セレクション2』大佛次郎著　小学館　1996年
『未来の年表2』河合雅司著　講談社現代新書　2018年
『水道、再び公営化！』岸本聡子著　集英社新書　2020年
『日本農業への正しい絶望法』神門善久著　新潮新書　2012年
『経済成長主義への訣別』佐伯啓思著　新潮選書　2017年
『資本主義と闘った男 宇沢弘文と経済学の世界』佐々木実著　講談社　2019年
『森林で日本は蘇る』白井裕子著　新潮新書　2021年
『地方自治の憲法論［補訂版］』杉原泰雄著　勁草書房　2008年
『資料 現代地方自治』杉原泰雄ほか編　勁草書房　2003年
『英語化は愚民化』施光恒著　集英社新書　2015年
『まちづくりと景観』田村明著　岩波新書　2005年
『21世紀の資本』トマ・ピケティ著　みすず書房　2014年
『英語の害毒』永井忠孝著　新潮新書　2015年
『皇統断絶』中川八洋著　ビジネス社　2005年
『新版 地域分権時代の町内会・自治会』中田実著　自治体研究社　2017年

『図解 ピケティの「21世紀の資本」』永濱利廣 監修 イースト新書Q ２０１５年
『大量廃棄社会』仲村和代・藤田さつき 著 光文社新書 ２０１９年
『ナショナリズム』橋川文三 著 ちくま学芸文庫 ２０１５年
『人口減少社会のデザイン』広井良典 著 東洋経済新報社 ２０１９年
『ＡＩ×地方創生』広井良典ほか共著 東洋経済新報社 ２０２０年
『祖国とは国語』藤原正彦 著 講談社 ２００３年
『本屋を守れ』藤原正彦 著 ＰＨＰ新書 ２０２０年
『幸せのメカニズム』前野隆司 著 講談社現代新書 ２０１３年
『地方消滅』増田寛也編著 中公新書 ２０１４年
『医療にたかるな』村上智彦 著 新潮新書 ２０１３年
『売り渡される食の安全』山田正彦 著 角川新書 ２０１９年
『横田空域』吉田敏浩 著 角川新書 ２０１９年
『逝きし世の面影』渡辺京二 著 平凡社ライブラリー ２００５年
『決定版 三島由紀夫全集36』三島由紀夫 著 新潮社 ２００３年

著者紹介

吉田　良（よしだ・りょう）

昭和51年生まれ。東京音楽大学卒業。声楽演奏家、合唱指揮者、学校教員、学習塾経営などの経歴を持つ。

現在、宮城県名取市議会議員（2期）。

著書に『神話は現代につながるのか　出雲の祭器〝琴板〟をめぐって』（アメージング出版）がある。

●ご意見や感想等の連絡先
〒981-1231
宮城県名取市手倉田字八幡165-32 西
E -mail　ryoyoshida1771@gmail.com

日本列島修復論（にほんれっとうしゅうふくろん）
令和パトリズム宣言（れいわパトリズムせんげん）

〈検印省略〉

2021年　12月　22日　第　1　刷発行

著　者――吉田 良（よしだ・りょう）
発行者――佐藤 和夫

発行所――あさ出版パートナーズ
〒168-0082 東京都杉並区久我山5-29-6
電　話　03 (3983) 3227

発　売――株式会社あさ出版
〒171-0022 東京都豊島区南池袋2-9-9 第一池袋ホワイトビル 6F
電　話　03 (3983) 3225（販売）
03 (3983) 3227（編集）
F A X　03 (3983) 3226
U R L　http://www.asa21.com/
E-mail　info@asa21.com

印刷・製本（株）シナノ

note　http://note.com/asapublishing/
facebook　http://www.facebook.com/asapublishing
twitter　http://twitter.com/asapublishing

ISBN978-4-86667-329-5 C0030